La nature est tout ce qu'on voit, Tout ce qu'on veut, tout ce qu'on aime.

George Sand, *À Aurore*, 1873

Projet de devant de corsage à la fleur d'hellébore, Joseph Chaumet,
atelier de dessin, vers 1890, lavis et rehauts de gouache sur papier translucide.

CHAUMET
DESSINS DE NATURE

Gaëlle Rio

Textes botaniques : Marc Jeanson

Projet de devant de corsage à fleur d'œillet, Joseph Chaumet, atelier de dessin,
vers 1890, lavis et rehauts de gouache sur papier translucide.

Note de l'éditeur

Père de tous les arts, le dessin préexiste à toutes les formes de la création, et la Haute Joaillerie ne fait pas exception. Le dessin est l'acte premier du joaillier. Telle une partition de musique, il exprime l'intention du créateur et sert de guide technique à la réalisation du bijou. Destiné à s'effacer au profit de la beauté et de la préciosité du joyau, il devient à son tour un objet de contemplation esthétique. Tel un langage, le dessin de bijou, en dévoilant l'essentialité de la création, devient un formidable objet de mémoire contribuant à la formation du patrimoine d'une maison de joaillerie.

À travers des dizaines de milliers de croquis, esquisses ou dessins préparatoires, au crayon ou à la gouache, s'élabore tout en nuances le style d'une maison, l'esprit d'une création. Comme un miracle, cette esthétique mêle la légèreté à la puissance, le mouvement de la vie au saisissement de l'instant et la présence à la discrétion. Cette délicate impertinence ou cette audace raffinée distinguent Chaumet des autres maisons et suscitent le ravissement de nos sens.

Parmi la multiplicité des motifs dessinés, la thématique de la nature occupe une place centrale. Observateur attentif et joaillier virtuose, Chaumet invente une représentation audacieuse du vivant. Aux traditionnels serpents et papillons, s'ajoutent la fourmi et le hanneton, aux roses classiques, les roseaux, fougères et lierre. Cette fascinante présence botanique et animalière ancre la maison dans une forme de contemporanéité. Outre l'aspect esthétique plaisant à l'œil de ces motifs prélevés d'une nature familière ou sauvage, ces dessins questionnent notre rapport au monde. À l'ère de la profusion spectaculaire des images, grâce à la simplicité du trait et à l'économie de la couleur, ces feuilles héritières d'un temps long dévoilent l'attachement ancien et constant de Chaumet pour la flore et la faune et la singularité d'une nature dans ce qu'elle a de plus intime. Découvrir et regarder aujourd'hui ces dessins de joaillerie devient dès lors salutaire pour mieux comprendre le vivant et pour approcher au plus près l'âme de la création. Une fois le bijou façonné, offert puis porté, son dessin, par sa pureté et sa sincérité constitue l'ultime trace de l'intemporelle beauté de la nature et s'élève ainsi au rang d'œuvre d'art.

L'art du dessin de joaillerie

À L'ORIGINE DU BIJOU

Autrefois considéré principalement comme un exercice d'apprentissage, un instrument de recherche ou une étude préparatoire, le dessin a pris progressivement son autonomie au XIXe siècle jusqu'à obtenir la reconnaissance d'œuvre d'art à part entière. Pablo Picasso affirmait d'ailleurs que «le dessin n'est pas une blague. [...] Évidemment on ne sait jamais ce qu'on va dessiner... mais quand on commence à le faire naît une histoire, une idée... et ça y est. Ensuite l'histoire grandit, comme au théâtre, comme dans la vie... et le dessin se transforme en d'autres dessins, en un véritable roman[1]». La vraie force du dessin est d'exprimer l'idée première, le souffle créateur, d'incarner le dessein de l'artiste et d'en permettre sa transmission. Peu étudié, rarement publié, commençant seulement à être exposé depuis quelques années, le dessin joaillier a longtemps été doublement relégué dans la hiérarchie des arts, en raison de son aspect technique mais aussi du statut du bijou lui-même. En effet, le bijou occupe dans l'histoire des arts une place singulière car avant même d'être conçu et regardé comme un objet d'art, il est d'abord un objet avec une fonction d'usage, un accessoire de mode, dont on dispose librement et qui est susceptible d'aménagements et de transformations. Le bijou est fait pour être porté sur soi et reflète ainsi le goût de son propriétaire à une époque et dans une société données. Jusqu'au XIXe siècle, les bijoux sont perçus par leurs contemporains comme appartenant à un art dit mineur, puisque fabriqués par une chaîne d'artisans, du modeleur au polisseur[2], à l'opposé de l'artiste concevant son œuvre de manière intellectuelle. Dans cette logique artisanale, le dessin joaillier sert de référence et de témoin à l'ensemble des «mains» qui interviennent dans la création du bijou. Depuis la Renaissance, dessiner un bijou constitue l'étape première et visible de la création, celle qui donne vie à l'idée, celle qui permet à l'idée de devenir projet, comme le défend le joaillier Augustin Duflos au XVIIIe: «Le joaillier avant de pratiquer son art doit donc s'y disposer par l'étude régulière du dessein[3]...» La matérialisation de l'idée par le dessin témoigne d'une sophistication dans le processus historique de la fabrication. Systématique aujourd'hui en Haute Joaillerie, «le dessin a toujours été une étape première et primordiale de la création joaillière. Cela tient sans doute à plusieurs raisons historiques et pratiques. La plus déterminante est le fait que jusqu'au tournant du XVIe siècle au XVIIe siècle, les joailliers parisiens ne sont que des metteurs en œuvre, devant faire avec des pierres déjà taillées par d'autres, pour lesquelles il leur faut réaliser des montures. C'est là que le dessin joaillier trouve sans doute son origine comme lieu d'invention permettant d'assembler et de combiner les pierres tout en les magnifiant par la monture. Ce principe qui perdura, donne au dessin, sa première spécificité: il est toujours à l'échelle 1, celle des pierres et donc de la monture[4]». Ce dessin réalisé à l'échelle du bijou et le plus souvent en couleurs afin de différencier les pierres et la monture et de donner le relief par les ombres ou les rehauts de blanc, guide les artisans lors de la fabrication de l'objet. S'il nous instruit sur le processus de création d'une pièce joaillière, et qu'il dévoile à la fois le goût du client et le style de la Maison, le dessin joaillier devient en définitive l'unique trace de la création lorsque le bijou se vend et disparaît aux mains des clients. À sa première valeur d'usage, d'outil technique, vient se superposer une valeur esthétique doublée d'une valeur patrimoniale. Le dessin de bijou peut être regardé dès lors comme une véritable œuvre d'art, nous touchant par sa beauté et son histoire.

page de gauche, en haut
Projet de broche abeille,
Chaumet, atelier
de dessin, vers 1970,
crayon graphite, gouache
et rehauts de gouache
sur papier calque.

page de gauche, en bas
Projet de broche cochon,
Chaumet, atelier
de dessin, vers 1970,
crayon graphite, gouache
et rehauts de gouache
sur papier calque.

C'est avec ce regard à la fois esthétique et historique que l'on découvre et étudie ce corpus artistique exceptionnel, constitué de 66 000 dessins, exécutés depuis deux siècles et demi par les artistes joailliers de la Maison Chaumet, « l'une des doyennes de l'industrie de luxe parisienne[5] », en prélude à la création de leurs précieux joyaux. La majorité de ces feuilles sont conservées dans des albums, constitués au XIXe siècle et classés par typologie de bijoux aux noms évocateurs : diadèmes, broches, devants de corsage, aigrettes... Bien que très peu de ces dessins soient datés, comme c'est souvent le cas pour les études préparatoires ou les croquis techniques, la plupart d'entre eux ont été réalisés au XIXe siècle avec des ensembles conservés particulièrement importants pour les années 1890 à 1930. Au-delà de ces considérations chronologiques, ce qui frappe l'œil avant tout est la diversité des techniques, mêlant crayonnés, aquarelles, encres et gouaches ainsi que la grande variété de travaux. Les esquisses, au plus proche de la pensée du créateur, les calques d'exécution ou encore les gouachés dont le caractère esthétique doit convaincre une potentielle clientèle, « forment en un sens l'archéologie des bijoux de l'histoire de Chaumet[6] ». La collection d'une étonnante et foisonnante richesse, réunissant chefs-d'œuvre et études, dessins aboutis et motifs répétés, s'est constituée au fil du temps sans intention délibérée et s'est patrimonialisée au cours du XIXe siècle.

DE L'INSPIRATION À LA RÉALISATION, DU TRAIT À LA FORME

C'est au studio de création que tout commence. Première étape du processus de création d'un bijou, le dessin joaillier est lui-même souvent l'aboutissement d'un travail graphique important constitué de multiples croquis ou esquisses. Le dessinateur est ainsi le premier à donner vie à la pièce, en s'appuyant sur les conseils qu'il reçoit du directeur artistique. Sa main est guidée par son expérience, son inspiration mais aussi par sa connaissance de la spécificité d'un bijou et des contraintes techniques que pose sa fabrication. La fantaisie du créateur est en effet conditionnée par sa connaissance des possibilités et des limites des matériaux qu'il dessine. Le dessin exprime une vision personnelle manifeste du projet tout en reflétant l'identité et l'univers de création de la Maison Chaumet. L'histoire du dessin de joaillerie débute par une esquisse au crayon noir ou graphite sur une feuille blanche, un carnet de croquis où le dessinateur note rapidement ses idées, sans avoir encore nécessairement un bijou en tête. On perçoit dans cette première étape une grande liberté du trait qui signe l'inspiration de son auteur. De ces nombreux projets, un seul peut-être sera sélectionné, retravaillé, amélioré, mis en forme selon un type de bijou et un choix de matériau et de pierres. Si le dessin est retenu pour être exécuté, le dessinateur en réalise une version sur calque mise à l'échelle du bijou qui servira de modèle à l'atelier. La transparence du papier calque, choisi à partir de la seconde moitié du XIXe siècle, met en valeur certains éléments du dessin en jouant avec la lumière. Ces dessins à la plume ou au crayon, pour la plupart aquarellés, montrent dans les moindres détails la manière dont chaque projet a été traité par l'artisan joaillier. Parfois, y sont décrits précisément les matériaux, les quantités de pierres nécessaires et leurs poids exacts. Ils jouent un rôle essentiel dans le choix du bijou par le commanditaire, qui valide d'abord une simple esquisse ou un dessin final aquarellé avant de faire réaliser une pièce. On trouve ainsi dans les archives plusieurs versions différentes d'un même bijou, des dizaines de possibles qui ne verront pas

en haut Projet de diadème
aux feuilles de laurier, Joseph Chaumet,
atelier de dessin, 1900-1910, lavis et
rehauts de gouache sur papier teinté.

en bas Projet de diadème aux
feuilles de laurier, Joseph Chaumet, atelier
de dessin, 1910, lavis et rehauts de gouache,
pigments dorés sur papier teinté.

le jour. En 1852, dans une lettre adressée à Jules Fossin, directeur de la Maison, le prince et mécène russe Anatole Demidoff commente ainsi «les dessins au crayon» qu'on lui a présentés pour le décor de tabatières en mosaïque de pierres, et demande l'étape suivante du «projet [qu'on lui a] soumis et qui [lui] parait très joli», à savoir «un dessin colorié». À la fin du XIXe siècle, Édouard Wibaille, maître dessinateur chez Chaumet entre 1886 et 1903, multiplie à l'infini les variantes autour d'un même motif, en quête de la figure parfaite. Seuls transparaissent le trait et la forme du bijou tandis que les couleurs restent à imaginer.

Lorsque le dessin est approuvé par le directeur artistique vient la mise en couleur. Les ébauches forment ainsi une deuxième étape du dessin joaillier, plus abouti. Il n'y a plus qu'un seul objet représenté sur la feuille. Les contours sont définitifs, les matériaux reconnaissables, les pierres exactement détourées et colorées en référence à leur nature. Dans la lignée des peintres naturalistes, les dessinateurs de Chaumet privilégient la gouache et l'aquarelle, peintures à l'eau, à la fois pour la qualité de leurs couleurs, proches de celles de la nature et indépassables pour restituer au plus près le scintillement et la subtilité de teinte des pierres fines et précieuses, des perles, mais aussi parce que cette technique de peinture permet de revenir sur le dessin et de le corriger. La mise en couleur révèle ainsi l'Orient des perles fines, l'éclat des pierres précieuses, l'or et le platine... Les pierres facettées sont reproduites par de fortes épaisseurs de gouache blanche pour les diamants ou de couleur pour les autres pierres précieuses. Ultime étape du dessin joaillier, le gouaché est réalisé grandeur nature, à l'aide d'un fin pinceau sur un papier de couleur qui fait ressortir par contraste tous les aspects du bijou. Cette technique exigeante consiste d'abord à représenter les volumes, à rendre compte des matières et à suggérer l'illusion du relief. Bien que le dessin soit réalisé à plat, celui-ci doit en effet évoquer un bijou en trois dimensions. Les couleurs combinées à la lumière qui vient par convention de l'angle supérieur gauche, permettent au dessinateur de reproduire la teinte mais aussi la forme des pierres dans un souci illusionniste. La pièce de joaillerie est souvent dessinée sous plusieurs angles et parfois un dessin supplémentaire est exécuté pour montrer le bijou déployé ou figurer des parties cachées à l'œil. Ce dessin à la peinture guide les différents artisans impliqués : maquettistes, joailliers, gemmologues et sertisseurs. Le joaillier l'examine pour s'assurer de la faisabilité du projet tandis que l'expert gemmologue rapproche les pierres du dessin. «Référence pour tous les acteurs de la réalisation du bijou, le gouaché constitue aussi une œuvre d'art en soi», comme le précise avec justesse Guillaume Glorieux[7]. Appelées parfois dessins «de présentation[8]», ces superbes gouaches permettent autant de proposer un bijou avant fabrication à un client que d'en conserver une mémoire poétique. Les gouaches qui ont servi à réaliser les somptueuses commandes impériales de 1805 à 1811, telles que la couronne de Charlemagne ou le glaive impérial, constituent un des ensembles les plus remarquables dans le domaine de la joaillerie. Si ce type de dessin persiste encore aujourd'hui, prolongeant ainsi l'histoire prestigieuse de Chaumet, le gouaché est désormais réalisé une fois le bijou achevé, d'après des photographies. Les gouachés de la collection contemporaine intitulée *Les Ciels de Chaumet* prolongent néanmoins la pérennité d'un protocole de création qui suit les mêmes chemins artistiques qu'à son origine. L'usage premier de guide technique et esthétique servant à la réalisation du bijou après validation du commanditaire cède le pas à un nouvel usage, celui de l'illustration nécessaire aujourd'hui pour accompagner de nouvelles pratiques de vente et de communication plus contemporaines, dans la presse et la publicité. Formidable objet de mémoire dans tous les cas, le gouaché rejoint les archives de la Maison, une fois le bijou créé et devient ainsi objet de patrimoine. À ces dessins en couleurs, s'ajoute parfois une étape supplémentaire ou concomitante, appelée les « dessins de portés », servant à illustrer le port du bijou sur la partie du corps concernée. Pleins d'invention, caractéristiques d'une façon de sublimer les parures et de leur accorder plusieurs vies, ces feuilles nous montrent aussi comment certaines parties de bijoux se détachent pour le métamorphoser en plusieurs pièces.

Au-delà du trait et de la couleur, le dessin de joaillerie est aussi un travail de formes et de volumes. Les joailliers doivent ainsi transformer leurs ébauches en formes. Comme l'énonçait Jean-Auguste-Dominique Ingres, le défenseur de la primauté du dessin sur la couleur, « dessiner ne veut pas dire simplement reproduire des contours ; le dessin ne consiste pas simplement dans le trait : le dessin c'est encore l'expression, la forme intérieure, le plan, le modelé[9] ». Le joaillier de la Maison Jean-Baptiste Fossin et son fils Jules, tous deux sculpteurs exposant au Salon, élaborent leurs dessins comme des sculptures sur papier, travaillant de concert le modèle et la matière, inventant des techniques de joaillerie inédites, comme un nouveau processus d'incrustation de pierres fines serties de filets d'or dont ils ont déposé le brevet. Dès lors, sculpter les bijoux et concevoir des bijoux sculptures deviennent une tradition de la Maison. Vers 1850, les pièces d'orfèvrerie dessinées par Jean-Valentin Morel constituent de véritables petits monuments joailliers. Mais c'est Joseph Chaumet qui fait de la maquette en maillechort[10] un prolongement direct du dessin joaillier et un élément central du processus créatif, tels les plâtres d'un sculpteur ou les maquettes de l'architecte : « Quelle surprenante variété, quelles fantaisies dans les formes de ces ornements et dans leur décoration ! Il en est de compliqués dans leurs dessins comme de riches dentelles, et d'autres qui se réduisent presque à un simple cercle de métal relevé de quelques pierres. Quelles différences de styles aussi, des diadèmes à l'antique du Premier Empire aux arcs simples de lignes mais chargés de pierreries que crée l'artiste moderne, en passant par ces massifs ornements rappelant le kokochnick national russe, destinés aux grandes-duchesses de la famille des Romanov[11] ! » Cette dernière étape avant la fabrication du bijou transpose le dessin en trois dimensions. Principalement destinée à la mise en œuvre des bijoux de tête, la maquette, découpée et mise en forme, rehaussée de gouache selon la couleur des pierres choisies et parfois même de gomme arabique pour évoquer la brillance de l'éclat du joyau, permet à la cliente d'essayer le futur diadème et de régler les derniers détails de cet ornement. Sans pierres ni diamants véritables pour distraire le regard, c'est l'élégance du trait qui prime. Si les années 1880 à 1930 représentent la période phare des maillechorts, ils sont encore réalisés aujourd'hui et envoyés aux clients pour avis et approbation. Outre le modèle en maillechort si singulier, la maquette en plâtre ou en plastiline, toujours à l'échelle réelle mais plus courante, interprétant le gouaché et préfigurant le bijou, permet de visualiser le volume, l'épaisseur de la pièce, quitte alors à réaliser, à l'aide de la cire, quelques modifications. En étroite collaboration avec le dessinateur du studio de création, le maquettiste utilise des outils similaires à ceux du joaillier, mais des matériaux différents : les pierres sont des strass et les plaques sont en étain. Pour des raisons pratiques, elle se compose souvent de plusieurs morceaux assemblés. La maquette, une fois achevée, constitue le modèle grandeur nature de la pièce à réaliser et permet d'anticiper les éventuelles difficultés techniques que le dessin ne laisse pas deviner. L'ergonomie, la flexibilité et le confort du bijou sont alors testés.

Depuis trente ans, le dessin de joaillerie connaît une évolution majeure avec la mise en trois dimensions. Si les dessins sont toujours exécutés grandeur nature, ils peuvent être réalisés directement sur écran. Le dessinateur troque le crayon pour un logiciel, la feuille pour un écran et l'on assiste en définitive à un retour au dessin purement technique, permettant des simulations de bijoux en trois dimensions d'une complexité auparavant impossible, avec des cotes et détails pour juger de l'épaisseur, du poids et de la portabilité, avant de le passer en production. Loin de la fascinante liberté esthétique du trait de crayon, l'image apparaît paradoxalement sans relief et sans aspérités. Pour autant, cette avancée technique présentant de nombreux avantages pour la réalisation du bijou n'entraîne pas la disparition de l'étape du dessin à la main à laquelle la Maison Chaumet demeure très attachée. La ligne graphique si singulière de Chaumet est ainsi le résultat d'une alliance réussie entre un goût marqué pour l'héritage du passé et une modernité numérique incontournable aujourd'hui dans le domaine de la joaillerie.

DU STUDIO DE CRÉATION À L'ATELIER : DES ARTISTES VIRTUOSES

« Il va de soi qu'une pareille maison n'imite pas, ne copie point, et qu'elle peut signer, comme un peintre son œuvre, chacune de ces créations. À un bureau d'études et de dessin, à un autre de modelage et de sculpture sont donc attachés des artistes de talent éprouvé chargés de préciser, de mettre au point pour l'exécution, en tenant compte des exigences techniques qu'ils connaissent[12]. » Selon le journaliste et critique d'art Gustave Babin, la Maison Chaumet est d'abord une école artistique avant d'être un atelier de joaillerie, malgré le classement à tort de la joaillerie parmi les arts mineurs que sont les arts décoratifs. Les créateurs de Chaumet ont en effet la particularité d'être des artistes dessinateurs et peintres qui interviennent au tout début du processus de création des bijoux et ont l'immense privilège de donner l'orientation stylistique en imaginant les thèmes, la forme des montures ainsi que les gammes de couleurs. Dès les origines, le fondateur, Marie-Étienne Nitot (1750-1809) se forme à l'École royale gratuite de dessin[13] puis devient joaillier officiel de la cour impériale en 1805. Élève également dans une école de dessin, le peintre Jean-Baptiste Fossin (1786-1848) est décrit comme un artiste doué par le célèbre bijoutier et collectionneur Henri Vever : « [Il] dessine aussi facilement qu'il parle. C'est un virtuose du crayon, qui se fait un jeu de tracer, tout en causant avec le client émerveillé, conquis, de charmantes improvisations[14]. » Une fois de plus, c'est le visionnaire Joseph Chaumet (1852-1928), prenant les rênes de la Maison en 1889 et lui offrant son nom, qui met en place un véritable atelier de dessin et de sculpture dirigé par un même chef d'atelier et embauchant à temps plein plusieurs dessinateurs au talent artistique reconnu. Les contrats d'embauche précisent que l'artiste « s'engage formellement à ne travailler pour aucune autre maison même en dehors de ses heures de présence[15] ». C'est Édouard Wibaille, le chef de l'atelier de dessin, qui est chargé de la ligne esthétique

en haut Projet de broche papillon
transformable en aigrette, Joseph Chaumet,
atelier de dessin, 1900, crayon graphite, lavis
et rehauts de gouache sur papier teinté.

en bas Projet de série de broches papillon
transformable en aigrette, Joseph Chaumet, atelier
de dessin, vers 1910, crayon graphite, lavis et
rehauts de gouache sur papier teinté.

de la Maison durant la Belle Époque. À ce titre, il publie en 1899 un *Rapport adressé à Monsieur Chaumet, au sujet des différentes phases traversées par la joaillerie, bijouterie & orfèvrerie depuis quelques années et du parti qu'il y aurait lieu d'en tirer* qui dresse l'inventaire des évolutions de la joaillerie-bijouterie depuis le succès du style Art nouveau et les perspectives d'innovation de la Maison : « tout ce qui nous semblait d'une grande, trop grande hardiesse, il y a quelques années, nous paraît tout naturel aujourd'hui[16] ». À l'occasion de l'Exposition universelle de Paris en 1900[17], Wibaille reçoit une médaille d'or qui récompense la vivacité de son imagination, dédiée aux bijoux sur papier. C'est en regardant ses dessins que l'on comprend qu'un grand joyau est d'abord un beau dessin. Henri Delaspre lui succède comme chef des ateliers de dessin et de sculpture dans les années 1900 et 1910 et dirige cinq autres dessinateurs : Chamson, Denizot, Hauck, Morlet et Silvestri. Les deux derniers sont chargés de réaliser les calques à l'échelle destinés aux joailliers[18]. Les dessinateurs numérotent et inscrivent leurs initiales au dos de chaque dessin. Ceux-ci sont ensuite réunis dans des albums et classés par typologie de bijoux : diadèmes et bandeaux, bagues, bracelets, broches et barrettes, pendentifs… Le numéro de chaque dessin est également consigné dans un livre accompagné d'une description. Dans la lignée de son père, Joseph, Marcel Chaumet accorde également une importance particulière au dessin de joaillerie et embauche le talentueux René Morin (1932-2017) qui donne un nouvel élan à la Maison. Ses dessins traduisent sur le papier sa prédilection pour les matières et les textures, brutes et audacieuses, venue sans doute de sa formation initiale en sculpture.

À la croisée de l'art, de la mode et de la technique, la pulsion graphique des dessinateurs est nuancée toutefois par un certain nombre d'exigences comme le soulignait déjà Gustave Babin en 1830. Leur production suit « soit les thèmes conçus par la direction, quelques fois esquissés, sommairement indiqués, soit les intentions souvent assez vagues formulées par le client[19] ». Le dessinateur ne signe pas ses esquisses ou gouachés puisqu'il travaille au service de la vision collective d'une équipe. Ce ne sont pas des œuvres anonymes pour autant mais des feuilles dont l'auteur unique est la Maison Chaumet. Hormis quelques figures célèbres dans l'histoire, la plupart des artisans sont restés inconnus. Néanmoins, les papiers utilisés, leurs couleurs et la façon dont les bijoux sont dessinés et placés permettent de former des ensembles et ainsi d'identifier des « mains ».

Que l'on remonte ainsi au temps de Nitot, de Fossin ou de Chaumet et plus récemment à celui de Pierre Sterlé, la Maison Chaumet perpétue une pratique éminemment artistique de la joaillerie dans laquelle le dessin occupe une place centrale. Encore aujourd'hui, cette sensibilité graphique est constante dans le studio de création à chaque nouvelle collection. Le thème choisi, présenté par le directeur de création, illustré d'images, étoffé d'impressions, est rapproché des icônes de la Maison, sans cesse réétudiées ; du diadème feuilles de chêne aux bagues *Joséphine*. Le dessin de chaque pièce à réaliser est transmis par le studio de création à l'atelier. C'est alors une nouvelle histoire qui commence, de la recherche des pierres appropriées par l'expert gemmologue à l'interprétation en volume par les joailliers suivis de près par les sertisseurs et polisseuses.

DE L'ŒUVRE D'ART AU PATRIMOINE : LA FORCE DU DESSIN

En parcourant la création de Chaumet, véritablement inscrite dans l'histoire de France, et en contemplant l'infinie succession des pendants, broches, bagues, colliers, diadèmes, boucles d'oreilles, épingles et clips qui remplissent les albums, le dessin de ces pièces joaillières témoigne d'une virtuosité constante entretenue de génération en génération et qui se distingue par une observation honnête, une finesse des gestes et la valeur des matières mises en jeu. Ce fonds graphique exemplaire révèle le dialogue constant entre tradition et innovation qui anime plus largement le domaine des arts décoratifs et témoigne des phénomènes de continuité, de citation, de détournement ou encore de rupture qui façonnent une histoire des formes et du goût. Outre la constance dans la virtuosité, la force créative du dessin permet de s'aventurer vers des propositions que le coût des matériaux si spécifiques à ce domaine limite. La question de la réalisation ne se pose pas encore lors de ce moment de pure inventivité graphique. Les précieux livres de commandes de la Maison débordent des preuves de son audace, du caractère extraordinaire et de l'esprit qui préside aux créations. Les dessinateurs composent les bijoux de la Maison comme un peintre le ferait d'un tableau, en créant un déséquilibre subtil, une inversion des volumes ou du centre de gravité de la scène et l'imminence d'une action. Comme l'analyse, la spécialiste de l'univers du luxe Fabienne Reybaud : « Outre la légèreté et la virtuosité du trait, il surgit ici toujours une tension, une dynamique dans l'agencement et l'association des formes végétales. Et surtout la Maison parvient à mettre une distance entre l'apparente humilité des sujets abordés, une nature fondamentale, accessible, connue et la préciosité de l'objet, réalisé en platine, or et diamants. Comme si en cultivant cette espèce de "grandeur de la simplicité", Chaumet avait trouvé son oxymore joaillier[20]. »

La joaillerie étant le plus éphémère de tous les arts, les bijoux demeurent fragiles, les pierres tombent, les émaux se craquellent et les métaux précieux qui les constituent suscitent la convoitise, sans compter l'histoire intime, qu'elle soit familiale ou individuelle, qui lui est associée. Contrairement au bijou qui est vendu puis porté, son dessin continue d'appartenir à Chaumet et représente une formidable mémoire de la création dont on a souvent perdu la trace : « Si l'on veut bâtir un monument pour l'éternité, traçons-le sur le papier ou édifions-le en granit ; s'il est en or, son existence sera éphémère car elle est liée au métal le plus coûteux que l'homme connaisse[21] ». Grâce au talent des artistes joailliers et à son inscription dans le temps long, le dessin de bijou est bien plus qu'un simple guide technique. En incarnant la pensée première de son créateur, il se révèle œuvre d'art. En devenant parfois l'ultime vestige d'une création, il devient patrimoine. Et le « musée de papier[22] » que forme cet incroyable fonds graphique offre une ressource inépuisable pour le studio de création, tissant le lien entre la créativité du passé et celle de demain.

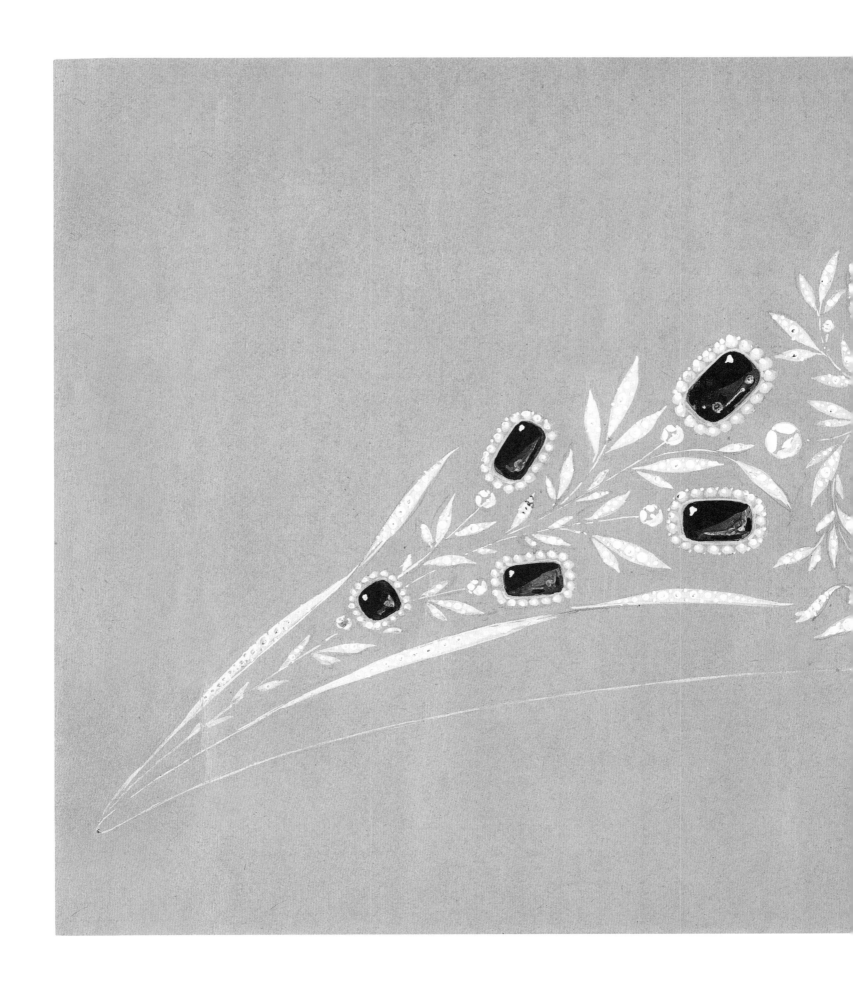

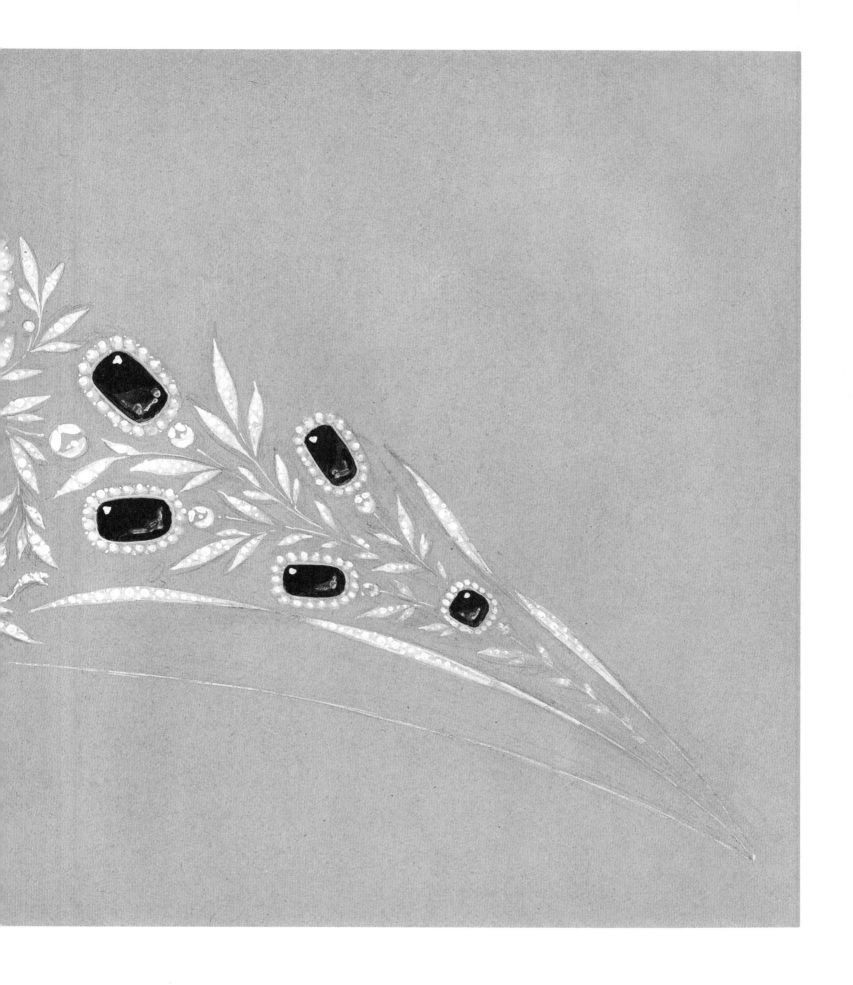

Projet de diadème feuillage aux diamants et saphirs bleus,
Joseph Chaumet, atelier de dessin, vers 1900, lavis et rehauts de gouache sur papier translucide.

La nature dessinée

DESSINS DE NATURE

« Éphémère et éternelle, fragile et immortelle, la nature traverse l'histoire des arts et l'emporte sur toutes les autres sources d'inspiration[1]. » Thématique essentielle pour l'ensemble des joailliers, la représentation de la nature est au cœur de la création de la Maison Chaumet depuis ses origines. Parmi les 66 000 dessins de la Maison, la moitié d'entre eux font référence à la nature. Serpents enlacés, rinceaux, étoiles, plumes, trèfles, palmettes, fleurs de toutes sortes composent une nature prodige, libre et vibrante, jamais idéalisée. « Chez Chaumet, la nature n'est jamais ni bonne ni mauvaise : elle est[2] » affirme l'auteure Fabienne Reybaud. Les dessinateurs l'observent attentivement pour la représenter dans sa diversité et sa vérité : des abeilles emblématiques de l'Empire aux symboles intemporels comme le blé pour la prospérité, ou encore aux hortensias qui évoquent Joséphine, en rappelant sa passion pour les fleurs comme le prénom de sa fille Hortense. La nature apparaît tantôt sauvage et indomptée comme dans le monumental surtout en argent formé d'une quinzaine de pièces[3], livré en 1846 au prince polonais Léon Radziwill, avec la présence d'un héron combattant un lézard sous un cèdre. Elle semble à l'inverse familière et ordonnée dans les dessins de têtes et de pattes d'oiseaux d'inspiration naturaliste des années 1840 ainsi que dans les esquisses de roseau à massette, d'avoine ou de blé de la fin du XIXe siècle. La nature est aussi domestiquée, dans ce dessin de seau à rafraichir dont deux ours blancs figurent les anses tandis que le corps de l'objet représente des chasseurs dans un paysage rocheux. Cette admirable mise en scène des différents caractères de la nature allie l'exactitude de l'observation naturaliste au raffinement de l'œuvre d'art.

Au-delà de leur iconographie suggérée par une nature aux multiples facettes, ces dessins s'inscrivent aussi dans une esthétique singulière. Ce sont des dessins de joaillerie avant d'être des dessins botaniques, qui témoignent de la vision picturale et sculpturale de Chaumet, et plus largement de l'évolution de son imaginaire durant près de deux siècles et demi. Depuis 1780, date de sa création par Marie-Étienne Nitot, la Maison, qui prend le nom de Chaumet à partir de 1889, a toujours brillamment interprété chacune des époques qu'elle a traversées en faisant écho aux différents mouvements artistiques, entraînant ainsi le foisonnement esthétique que l'on connaît aux XIXe et XXe siècles. En contemplant ces milliers de feuilles, s'esquisse alors sous nos yeux une histoire de la représentation de la nature depuis le XVIIIe siècle, qui pourrait se résumer selon le spécialiste des arts décoratifs Alvar Gonzáles-Palacios, au jeu entre la ligne droite et la ligne courbe : « L'alternance de la ligne droite et de la ligne courbe à laquelle semble se ramener, très succinctement, l'histoire des styles. Il s'agit là d'un jeu éternel de retenue et d'emphase, de paix et de fureur, d'abstraction et de naturalisme. C'est dans la querelle de la géométrie et de la botanique que tout se passe[4]. » L'observation attentive de la nature au XIXe siècle laisse la place à une quête de stylisation, empreinte de fantaisie et d'imaginaire, aux XXe et XXIe siècles.

LA NATURE EMBLÈME DU POUVOIR IMPÉRIAL

Dès les origines de la Maison Chaumet, la nature est au cœur de la création. Ayant collaboré notamment avec Aubert, le joaillier de la reine Marie-Antoinette, Marie-Étienne Nitot (1750-1809) est choisi avec son fils François-Regnault (1779-1853) par Napoléon Bonaparte pour monter le diamant dit « le Régent » sur l'épée consulaire. Après avoir serti l'une des couronnes pour le sacre de l'empereur en 1804, inspirée de celle de Charlemagne, ils deviennent joailliers officiels de la cour impériale en 1805. Ils créent de somptueuses parures, témoins du faste et du pouvoir de l'Empire, dont les bijoux sont exécutés d'après des dessins simples et symétriques avec de part et d'autre d'un axe central, une ornementation de motifs d'inspiration antique tels que les palmettes et le chèvrefeuille, les branches de chêne, les feuilles d'olivier et de laurier, les guirlandes de vigne et les rinceaux d'acanthe. Ce style à la fois sobre et imposant, grandiose et intemporel est illustré par la parure feuilles de chêne aux intailles de cornaline, créée vers 1809. Les Nitot dessinent aussi les aigles ou les fleurs de lys, emblèmes royaux et impériaux que Napoléon emprunte aux grandes civilisations passées. Ce retour néoclassique aux formes et sujets antiques se traduit dans l'histoire du dessin par des lignes pures et des contours nets dont Jacques-Louis David, Jean-Auguste-Dominique Ingres ou encore Pierre Paul Prud'hon offrent de magnifiques exemples. Les motifs naturels comme les épis de blé, reviennent en vogue à la suite des découvertes archéologiques d'Herculanum en 1713 et de Pompéi en 1755, et sont traités eux aussi d'une façon classique et stylisée.

La botanique comme science et surtout comme mode se propage dès la fin du XVIIIe siècle dans un esprit préromantique visionnaire. Marie-Étienne Nitot et l'impératrice Joséphine partagent la passion des fleurs et des animaux, étudiés dans la Grande Serre chaude de la Malmaison, longue de 50 mètres, chauffée par des poêles à charbon, où les oiseaux rares volaient en liberté, et où une collection végétale incomparable s'épanouissait, issue de graines ramenées des quatre coins du monde. De son enfance martiniquaise, Joséphine avait conservé un attrait sans limites pour la botanique, plus particulièrement pour les plantes exotiques. En effet, « de tout temps l'impératrice avait aimé les fleurs et toujours elle avait rassemblé chez elle des fleurs ou tout autre végétal qui offrait de l'intérêt. Le goût des plantes se développa donc avec plus d'étendue aussitôt qu'elle fut en possession d'une campagne et d'un jardin[5] ». Pierre-Joseph Redouté (1759-1840), « peintre de fleurs de sa majesté », s'inspire des deux cents variétés de roses plantées à la Malmaison pour composer un précieux recueil de planches coloriées à la main intitulé Les Roses et les botanistes lui rendent hommage en baptisant l'une d'elles Josephinia imperatricis. Fasciné par l'histoire de l'art et les artistes, Nitot traduit cette flore en joaillerie et ses successeurs perpétuent son goût naturaliste tout au long du XIXe siècle. L'influence de Joséphine qui aime tout autant les fleurs que les bijoux se ressent dans la profusion de diadèmes ornés de fleurs et de feuillages qui rythment les albums de dessins de la Maison, dans les années qui suivent la Restauration. En avance sur son temps, l'impératrice anticipe la vague du naturalisme romantique qui envahit les dessins préparatoires d'objets d'art et de joaillerie des années 1830 et 1840.

Au cours de l'année 1811, l'Empereur commande à François-Regnault Nitot une nouvelle série de bijoux pour les joyaux de la Couronne, comprenant notamment cent cinquante épis de blé, venus en complément de la parure de diamants réalisée l'année précédente par le joaillier pour la nouvelle impératrice qui les porta sur son corsage ou dans sa coiffure. Véritable incarnation du style Empire en joaillerie, le diadème aux épis de blé lance ainsi l'esthétique naturaliste du joaillier : « fulgurance de la ligne, réalisme du mouvement avec des épis qui semblent avoir été balayés par les vents, modernité du dessin[6] ». Selon l'historienne de l'art Diana Scarisbrick, « ces imposantes parures assorties aux diadèmes, peignes, aux boucles d'oreilles, aux broches et aux bracelets richement montés de perles rares et de pierres précieuses transforment les bourgeois Bonaparte en rois et en reines[7] ».

LA NATURE TRIOMPHANTE AU XIXe SIÈCLE

Cette mise en scène de la nature, d'abord prétexte du pouvoir et de ses emblèmes au moment de l'Empire, est pleinement assumée au XIXe siècle. Durant cette période d'essor industriel et de bouleversements politiques, le port du bijou, jusque-là réservé à la clientèle royale ou noble se diffuse au sein de la bourgeoisie. C'est aussi le moment de l'épanouissement du dessin en couleurs qui contribue à élever notablement les dessins au rang d'œuvres d'art et représente une technique capitale pour les artistes soucieux de donner une transcription fidèle à la nature. Si l'idée de dessiner la nature n'est assurément pas une invention du XIXe siècle, il apparaît néanmoins une volonté de représenter ces éléments sans les idéaliser ni les soumettre à une interprétation artistique personnelle afin d'en donner une image aussi objective et exacte que possible. Francis Wey, voyageur, archiviste et historien, disait : « Rien n'est beau que le vrai[8]. » Les dessinateurs de Chaumet s'attachent ainsi à montrer la vérité de la nature.

L'élan romantique

« Le romantisme, en son printemps, a touché toutes les branches de l'art et les a comme gonflées d'une sève de renouveau[9]. » Cette forme de renaissance naturaliste, durant la Restauration et la monarchie de Juillet, revitalise un des grands thèmes joailliers de l'Ancien Régime et tranche avec le classicisme sévère du style Empire et le goût pour la stylisation. Incarnant à la fois l'élégance, la légèreté et le naturel, les bijoux sont plus aériens, moins ostentatoires, les bracelets sont portés par paire, les ceintures sur les robes ainsi que les coiffures de fleurs naturelles ou artificielles sont à la mode. Les dessinateurs rivalisent d'invention et le bijou fantaisie naît de cette émulation. Ils multiplient les couleurs grâce à la technique de l'émail peint sur or et ajoutent des pierres et des perles qui enrichissent les compositions décoratives.

Fournisseur attitré du roi Louis-Philippe[10], Jean-Baptiste Fossin (1786-1848), ancien chef d'atelier de Nitot, incarne la figure du joaillier virtuose et prisé par le Tout-Paris dans les œuvres d'Honoré de Balzac, Alfred de Musset ou Théophile Gautier. S'il sculpte des bustes, peint des toiles qu'il expose régulièrement au Salon, « c'est surtout comme joaillier que Fossin mérite une mention toute spéciale, parce qu'il fut le premier des joailliers de son époque qui chercha à se rapprocher de la nature dans les jolis dessins de bouquets qu'il exécutait en brillants[11] ». Fossin s'inspire en effet des fleurs des champs et des jardins, et des épis qu'il dessine de mémoire d'une plume cursive comme en témoignent son bouquet en brillants, monté en argent, avec des tiges en or et présenté à l'Exposition générale des produits de l'industrie au Louvre en 1819, sa broche fuchsia ou encore ses bracelets à décor de feuillages. Il dessine des diadèmes ornés de luxuriants bouquets de feuilles de lierre, de vigne et de marronnier, de jonc et de nénuphar, de jasmin, associés à des fruits comme les raisins, les cerises ou les groseilles. Les motifs de plantes vont des géraniums en rubis et brillants créés pour la reine Marie-Amélie en 1847, jusqu'à la noisette attachée à sa branche. L'illusion naturaliste est renforcée par la présence de minuscules ressorts grâce auxquels les fleurs oscillent « en trembleuse » au gré des mouvements de celle qui porte le diadème. De nombreuses fleurs sont aussi dessinées, isolées ou bien en bouquets ou en guirlandes pour être réalisées ensuite en ivoire teint, en émail peint, en porcelaine, en corail, en cornaline ou en pierres précieuses. Sa paire d'ornements de cheveux dite « à la Mancini[12] » est inspirée par la coiffure de la célèbre maîtresse de Louis XIV et prisée des élégantes de l'époque. Variante de la guirlande, elle est constituée d'une paire de rameaux ou de bouquets retombant sur les joues et terminés par de longues franges de diamants ou de pierres contrastées. Les boucles de ceinture sont ornées aussi de motifs naturalistes comme le lierre, la vigne ou les fleurettes, ou bien encore de petites scènes animalières comme saisies sur le vif dans lesquelles les dauphins apparaissent au milieu de roseaux, les oiseaux picorent des baies et les dragons dévorent des serpents. Faisant écho aux dessins préparatoires des sculptures animalières d'Antoine-Louis Barye, une série de têtes d'animaux sauvages sont dessinés en vue d'être ciselés en ronde-bosse pour être montés en paire sur des joncs en or. Des oiseaux aux reptiles, des mammifères aux insectes, l'animal sauvage prédomine, incarnant l'idéal romantique d'une nature inviolée et préservée. Symbole du sentiment et de l'amour éternel, le serpent est de loin le plus populaire des animaux à cette époque. Ses variations illimitées séduisent Jean-Baptiste Fossin au même titre que les célèbres sculpteurs romantiques Auguste Clésinger et Antoine-Louis Barye.

L'éclectique Second Empire

Le mariage de Napoléon III et d'Eugénie de Montijo en 1853 inaugure une vie de cour brillante où la nature est encore davantage sublimée dans les parures. Jules Fossin, qui dirige la Maison jusqu'en 1862, demeure le joaillier de la famille impériale et « l'un des bijoutiers les plus artistes de l'époque du Deuxième Empire et [qui] a produit des œuvres d'un caractère très personnel[13] ». Dans la lignée de son père, il réalise des diadèmes naturalistes qui constituent de véritables ouvrages d'art, à l'image de son célèbre diadème fleurs de pensée, créé vers 1850, qui sublime la plus humble des fleurs dans un monochrome blanc de diamants, or et argent. Les bijoux de fleurs et de feuillages, portés au décolleté ou dans les cheveux, restent à la mode et Fossin continue à dessiner des guirlandes inspirées de la nature dans le goût romantique. Les lauriers tressés et fleurs de lotus en provenance de l'Antiquité, les roses sauvages, les marguerites et pâquerettes assemblées en bouquet, souvent liées par des rubans comme des saynètes néo-Louis XVI, miniaturisées sur des bijoux, abondent dans les dessins de cette époque. L'usage de ces motifs du XVIIIᵉ siècle témoigne de l'engouement de l'Impératrice pour la période de Marie-Antoinette. Les dessins de broches et de pendentifs aux motifs floraux de fougère cheveux-de-Vénus, vigne vierge, muguet ou fuchsia sont à l'image des robes à froufrou des femmes du Second Empire et résonnent aussi avec les nombreux tableaux de fleurs d'Eugène Delacroix, peintre qui faisait preuve d'une curiosité pour toutes les choses de la nature.

La nature florale influence jusque dans la forme des bijoux. Les bracelets sont constitués d'or gravé comme l'écorce, de feuilles émaillées, et de fleurs en pierres précieuses ou en perles afin de renforcer l'illusion naturaliste. Le motif de l'étoile a également beaucoup de succès, non seulement sur des fonds

émaillés de diverses couleurs, mais aussi utilisé comme ornement unique ou en groupe. Il convient aussi bien aux diadèmes qu'aux épingles à cheveux ou aux broches. Nombre de femmes portent dans leurs cheveux des croissants de diamants, attributs de la déesse Diane. Prosper Morel, qui a succédé à Jules Fossin, en dessine de plusieurs types et de toutes les tailles qui abondent dans les albums de dessins. Par ailleurs, les sujets cynégétiques connaissent toujours la même faveur avec les têtes de lion, de sanglier, de renard ou de loup ainsi que les lièvres, faisans, perdreaux et canards.

L'aigrette est une innovation de cette période et un nouveau support à l'iconographie naturaliste. Elle se porte dans les cheveux mais peut être aussi épinglée à la toque du soir en velours noir. De grands peignes d'écaille avec des fleurs ou des feuillages couronnent parfois la chevelure que les femmes portent très haut. Les pendants d'oreilles qui se multiplient aussi à partir de 1860 figurent également des motifs de fleurs et de feuilles comme le lierre, la vigne, le fuchsia et le jasmin suspendus tout naturellement en dessous des oreilles. Les broches de petite taille imitent quant à elles presque toutes les fleurs, modestes et humbles, des champs ou des jardins : myosotis, églantine, pensée, violette, dahlia, fleur d'oranger et certains feuillages : châtaignier, géranium, persil et figuier tandis que les épingles sont aussi terminées par des motifs de fleurs et de feuillages similaires[14]. Les insectes représentés sont nombreux également comme les mouches, les guêpes, les libellules ou les papillons. Ce florilège de motifs végétaux et animaliers, présents dans tous les types de bijoux, constitue à la fois l'herbier et le bestiaire de la Maison Chaumet et révèle une appropriation de la nature portée à son apogée au tournant des années 1860.

L'Art Nouveau de la Belle Époque (1879-1914)

Si le monde végétal et animal demeure encore l'une des principales sources d'inspiration de l'Art nouveau à la fin du XIXe siècle et au début du XXe siècle, l'iconographie et l'esthétique se renouvellent néanmoins. Les motifs de la flore marine, des algues et des nénuphars, des lianes tropicales ou des plantes grimpantes sont désormais appréciés. Les roses tant aimées de la première moitié du siècle laissent la place aux essences exotiques, les orchidées ou les chrysanthèmes, et sont traitées avec plus d'imagination que de réalisme. Considéré par ses contemporains comme l'inventeur du bijou moderne, René Lalique préfère les fleurs des champs aux plantes sophistiquées et choisit les métaux et les pierres selon la composition imaginée et non selon leur valeur vénale : « Il est persuadé que l'art du sertissage a une plus grande importance que la valeur intrinsèque du matériau utilisé[15] ». En rupture avec les styles historiques et privilégiant une interprétation libre et personnelle de la nature, le dessin en tant qu'art de composition devient ainsi prépondérant sur le choix des matériaux. Les dessinateurs chez Chaumet suivent les leçons des ornemanistes à l'instar d'Eugène Grasset en adaptant les formes et les décors aux objets qu'ils doivent orner. Inspiré de la tradition espagnole, le peigne haut représente le parfait exemple d'adaptation du décor à la forme du bijou. La plante ou la fleur choisie confère au peigne sa forme et le décor de sa partie haute, visible sur les coiffures féminines.

Joseph Chaumet (1852-1928), qui donne son nom à la Maison et qu'il installe dès 1907 au 12, place Vendôme, créant ainsi l'épicentre de la création parisienne, n'ignore pas cette nouvelle esthétique. Il en propose pourtant une version personnelle et se montre très sélectif dans le choix de ses motifs. Il préfère aux nymphes, têtes de méduse et autres figures féminines lascives, les fleurs simples comme les coquelicots, ombellifères et campanules, les insectes gracieux, les libellules, les sauterelles, les hannetons et les prédateurs décoratifs, reptiles et chauves-souris, se rapprochant davantage d'une iconographie symboliste que naturaliste. Son étude préparatoire pour un devant de corsage « Bleuet, fleur d'arbre fruitier, pensée et papillon » n'est pas sans rappeler les aquarelles du peintre Odilon Redon mêlant fleurs et papillons dans une harmonie à la fois naturaliste et onirique. Les ailes d'oiseau, motif en vogue jusqu'au début des années 1920, sont inspirées des heaumes ailés coiffant les Walkyries, ces divinités guerrières de la mythologie nordique, mises en scène dans les opéras de Richard Wagner. S'orientant dans toutes les directions, elles se portent sur une armature sur le haut de la tête, en aigrettes ou en broches épinglées au corsage individuellement ou par paire. Pour les clients qui partagent les convictions monarchiste et catholique de Joseph Chaumet, les fleurs de lys, emblème des Bourbons, sont très souvent portées en aigrettes associées à des plumes d'autruche. Pour mettre en scène cette iconographie si singulière, Joseph Chaumet adopte les canons esthétiques de l'Art nouveau en dessinant des formes stylisées en arabesques, au rendu libre et délié.

Cette vision magique et merveilleuse d'une nature dessinée d'où surgissent parfois des animaux fantastiques repose sur une grande maîtrise technique. Tout comme René Lalique, Joseph Chaumet privilégie le platine serti de pierres précieuses à l'or émaillé. Il propose aussi de simplifier et de rendre plus rentable la réalisation de motifs complexes sur la surface des bijoux grâce à un système de matrices permettant de répéter et de changer le motif à l'infini, à la manière des caractères d'imprimerie. À la suite de l'Exposition universelle de 1900 qui consacre ses efforts et son talent, « Chaumet avait senti que la beauté d'un objet d'art ne réside pas dans la multiplication d'éléments divers, fussent-ils isolément aimables, jolis mais qu'il fallait viser à l'harmonie de l'ensemble, à l'expression générale, à la simplicité éloquente, au style enfin[16] ». Joseph Chaumet acquiert une réputation internationale grâce à l'élégance de ses modèles dessinés et à la qualité supérieure de ses perles[17] et de ses pierres précieuses qu'il étudie scientifiquement dans son propre laboratoire : « Chaumet restituait aux gemmes leur primauté. Elles cessaient d'être seulement le rehaut et comme l'agrément de petites compositions allégoriques, sentimentales ou agrestes, de petites scènes d'illustrations romanesques, de décors, guirlandes, feuillages, faux bois, biens de la terre ou des eaux, pour reprendre le premier rôle... la monture s'effaçait, s'allégeait, très sobre, très discrète. C'est en somme le principe qui inspire encore la mode actuelle[18]. »

Cette Belle Époque signifie aussi pour la Maison la concrétisation de nombreux rêves d'ailleurs. Joseph Chaumet cherche à gagner la clientèle tant convoitée des maharadjahs indiens. Il envoie fin 1910 son équipe d'experts parmi lesquels le dessinateur Henri Delaspre, lorsque le maharadjah de Baroda lui demande de faire l'expertise de sa collection de joyaux à l'aide des technologies développées au sein de la Maison. Il participe aussi à la livraison de la commande colossale du sultan du Maroc, Moulay Abd-El-Aziz en 1902[19], constituée de bijoux, bagues, bracelets et colliers. Chaumet s'inspire également de l'esthétique japonaise, avec des cadrages insolites et une attention délicate, humble et poétique pour les fleurs, les insectes et les oiseaux. Ces influences venues d'ailleurs contribuent à enrichir le répertoire de la nature, si cher à la Maison.

LA NATURE STYLISÉE AUX XXᵉ ET XXIᵉ SIÈCLES

« Après le naturalisme de l'Art nouveau, la nature se synthétise avant de tendre vers la géométrie[20]. » Durant cette période qui s'étend de la fin de la Première Guerre mondiale au début du XXIᵉ siècle, marquée par de profonds changements sociaux et économiques et alternant des temps de prospérité et des phases de dépression, la joaillerie s'adapte à la mode vestimentaire et au contexte social.

L'Art déco : l'audace de la modernité

Les arts décoratifs se font l'écho de tous les mouvements plastiques et esthétiques qui apparaissent aux alentours de 1910 : abstraction géométrique, cubisme, futurisme ainsi que de toutes les discussions théoriques de la période de l'entre-deux-guerres. Les formes se simplifient, les lignes des dessins sont nettes, franches et abruptes. Durant toute cette période, les dessinateurs de Chaumet suivent attentivement l'évolution de la haute couture. Ils s'adaptent à l'allure garçonne des femmes des Années folles, en inventant de nouveaux bijoux. Ils interprètent la tendance aux formes géométriques épurées, aux contrastes de couleurs franches et aux effets d'opacité et de transparence. L'apparition du platine, qui transforme l'apparence des bijoux en diamants annonce une nouvelle ère de la joaillerie : « la monture métallique en platine se fait plus malléable et plus discrète, seules comptent les oppositions de masses colorées[21] ». En 1925, l'Exposition des Arts décoratifs de Paris connaît un retentissement mondial et réhabilite le talent des joailliers au sein de la section Bijouterie-Joaillerie qui se déploie au Grand Palais. Les broches, boucles de ceinture et autres créations que Chaumet y présente adoptent une géométrie sévère et sont serties de pierres aux teintes contrastées et de tailles différentes. Bien que la période Art déco soit favorable à la géométrie et qu'elle mette de côté les représentations figuratives de la faune et de la flore, les bouquets, les paniers et corbeilles de fleurs et de fruits, issus de l'art oriental, demeurent parmi les motifs iconiques de Chaumet. Cette iconographie végétale et florale s'inspire des découvertes scientifiques notamment dans l'univers des plantes qui constitue un répertoire de formes inépuisable[22].

Les joailliers parisiens se réunissent de nouveau, en 1929, au palais Galliera, à l'occasion de l'exposition « Les arts de la bijouterie, joaillerie, orfèvrerie[23] ». Les bijoux présentés désormais par Marcel Chaumet (1886-1964), qui a succédé à son père en 1928, sont monochromes, sculpturaux et géométriques. La joaillerie devient blanche en effet à partir de 1929 grâce aux plaques de cristal de roche, transparent ou dépoli. Ces contrastes de couleurs moins accentués sont en concordance avec une silhouette plus féminine mettant en valeur les contours naturels de la taille et le décolleté. Ces tenues appellent des bijoux d'une taille et d'un dessin imposants qui apportent à la toilette la touche de luxe qui lui manque, à l'instar des longs sautoirs ornant aussi bien le décolleté que le dos. L'usage plus fréquent des pierres semi-précieuses comme l'améthyste, l'aigue-marine, le grenat ou la topaze, s'adapte à la période de crise économique tout comme le bijou d'or qui, moins coûteux que le platine, connaît également un regain d'intérêt. Si les diadèmes en forme de couronne sont révolus et les parures traditionnelles (constituées d'un diadème, de

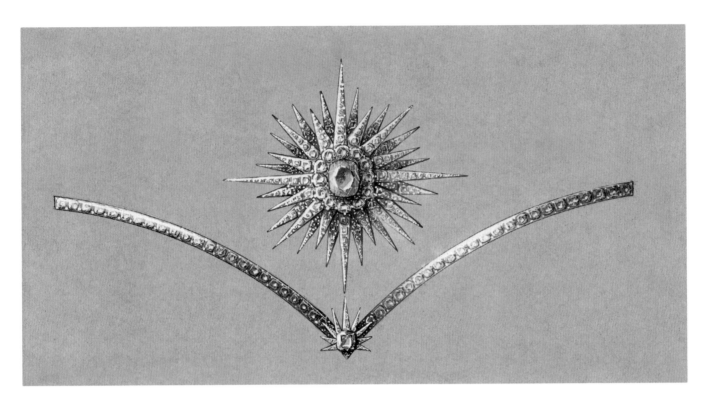

Deux projets d'aigrettes soleil, Joseph Chaumet,
atelier de dessin, vers 1910, crayon graphite, lavis et rehauts
de gouache sur papier translucide.

boucles d'oreilles, d'un collier et de bracelets) réservées aux familles royales, les bijoux de cheveux conservent une certaine importance, comme le diadème bandeau, les peignes, clips et barrettes.

Revoir la nature dans les années 1940

Alors que la période de l'Art déco est relativement anecdotique en ce qui concerne la présence de la nature dans les dessins de bijoux, il faut attendre la fin des années 1930 pour que les fleurs et les plantes éclosent de nouveau sur les parures, que l'or et la polychromie réapparaissent. La guerre et le fait généralement admis que l'or conserve toujours sa valeur entraînent la création de bijoux plus massifs, et en particulier des bagues très imposantes. La joaillerie des années 1940 se distingue par une stylisation intense des formes mais également par des lignes voluptueuses et des motifs tourbillonnants.

Le retour des marguerites, capucines, anémones, roses et autres camélias est essentiellement soutenu par l'apparition du clip[24] qui supplante la broche quelques années plus tard. En effet, le clip fait partie de la garde-robe féminine des années 1930 et 1940 au même titre que le chapeau et les souliers. Les fleurs sont vendues à l'unité ou en bouquets, en platine et diamants ou or et pierres de couleur. Durant la guerre, Chaumet ajoute au vocabulaire des fleurs, des feuillages, des cactus et des roseaux ainsi que dans la gamme des oiseaux, le perroquet et l'oiseau de paradis. Jusqu'à la fin des années 1950, perdurent ses fleurs et feuilles mêlant or rose, diamants blancs et pierres de couleur, en bouquets ton sur ton ou en bicolore[25]. Devenu véritable objet de mode depuis les Années folles, c'est le diadème qui incarne peut-être le mieux ce retour à la nature : « le diadème a su rester fidèle à sa fonction symbolique originelle, couronne rituelle de fleurs et de feuillages célébrant le culte de la nature, pour ceindre les fronts victorieux et honorer des têtes parmi les plus distinguées[26] ».

Depuis les années 1950, l'héritage de cette vision naturaliste

Le dessin naturaliste traverse toute l'histoire de Chaumet et, au-delà de la mode romantique, s'affirme jusque dans les collections contemporaines. Depuis les années 1950, l'équilibre est maintenu entre l'esprit de tradition du joaillier et les impératifs de modernisation, de développement et de diversification. Les trente années de prospérité de l'après-guerre entraînent pour Chaumet l'ouverture de succursales à l'étranger, l'inauguration de la nouvelle boutique dite L'Arcade, au décor moderne, la création d'un département Patrimoine et la promotion de la Maison grâce à des expositions, des catalogues et des campagnes de publicité. La joaillerie reste de conception traditionnelle en raison de la valeur des pierres précieuses tandis que les lignes plus accessibles sont plus audacieuses par leur dessin comme par les matériaux utilisés. Les dessinateurs prennent la liberté de s'exprimer dans un style contemporain, contribuant à démocratiser un créateur célèbre pour sa distinction[27].

En 1961, un joaillier précurseur et inclassable, Pierre Sterlé (1905-1978), suivi de peu de René Morin (1932-2017), donne un nouvel élan à la créativité de Chaumet et lui insuffle de nouvelles inspirations. Dans les dessins et contributions de ces deux artistes, la nature est représentée avec liberté, audace et fantaisie, à l'image des colliers ginkgo et arôme, aux formes massives et aux textures rugueuses. Les nombreux projets conçus par Sterlé, à l'image de ces clips en forme d'arum, d'étoile de mer, d'hippocampe, de bélier, de grenouille, de perroquet, ou figurant un colibri en vol, illustrent une vision à la fois bienveillante et impertinente du répertoire naturel.

Dans ses objets, pour lesquels il s'inscrit dans l'héritage de l'un des plus grands chefs d'atelier de l'histoire de la Maison, Jean-Valentin Morel, comme dans ses bijoux, René Morin utilise constamment la nature comme source d'inspiration. Il affectionne particulièrement les créatures fantastiques comme la licorne, le minotaure, l'hippocampe, les poissons et les chevaux grâce auxquels il enrichit le bestiaire Chaumet. Dès 1968, son goût pour les matières brutes inspire à René Morin une nouvelle technique d'orfèvrerie : l'or sauvage. L'or est travaillé afin qu'il donne l'impression d'être brut soit en le matifiant, soit en le polissant de manière vive. C'est cette technique qu'il utilise pour créer des parures naturalistes composées de colliers torques terminés par des essences florales et végétales diverses. Ces colliers synthétisent son amour pour la nature et pour la matière brute et s'adressent à une nouvelle clientèle n'appartenant plus à la haute bourgeoisie. En 1972, en association avec la cristallerie Baccarat, Morin réalise le « Bestiaire fabuleux », à partir de blocs de cristal brut provenant de la récupération des fonds de pots (masses de cristal refroidi après l'arrêt d'un four). À partir des formes hasardeuses du cristal, il crée des animaux réels et fantastiques en les assemblant aux métaux, perles et pierres, mettant ainsi à l'œuvre sa fantaisie la plus débridée.

Au début des années 1980, diadèmes et couronnes ne faisant plus l'objet de commandes fréquentes, c'est le collier qui désormais prend leur place comme symbole de la grande tradition de la Maison. Des colliers animaliers en forme de cygne, cheval ou panthère sont réalisés à partir de dessins audacieux et de matériaux moins coûteux tels que la nacre, le corail ou l'onyx. Ces créations uniques renouent avec la tradition remontant jusqu'aux parures impériales réalisées par les Nitot, père et fils, pour les deux épouses de Napoléon et qui sont à l'origine de l'histoire hors du commun de la Maison.

Aujourd'hui encore, la nature ne cesse d'inspirer les créations de la Maison. Les dessinateurs entretiennent l'héritage des Nitot, des Fossin et des Morel, veillant à ce que Chaumet après deux siècles et demi d'existence rayonne avec autant d'éclat. La collection *La Nature de Chaumet* en 2016 remet en exergue des thèmes qui ont fait les riches heures de la Maison, notamment le chêne, le lys, le laurier qui couronne le vainqueur ainsi que le blé, emblème de la prospérité. *Les Ciels de Chaumet*, en 2019, portent quant à eux, un regard vers les hauteurs avec la représentation d'oiseaux en plein vol, un ciel réchauffé par le soleil ou la lune et les étoiles. Dans cette interprétation incarnée de la nature, le dessin Chaumet se distingue par sa virtuosité, son goût de l'innovation et sa curiosité stylistique. Bien au-delà d'une sensibilité aux modes, Chaumet affirme son goût de la mesure et avant tout sa fidélité aux caractéristiques de son style. Ce qui frappe l'œil entre les épis de blé de l'impératrice Joséphine, la broche roseau réalisée par Joseph Chaumet vers 1893, ou le diadème lys *Passion Incarnat* de la collection *La Nature de Chaumet* en 2016, c'est cette évidente continuité graphique et esthétique. Et en représentant « une nature devenue architecture[28] », le diadème *Vertiges*, dessiné et conçu par Scott Armstrong en 2017, symbolise la synthèse de cette nature dessinée, entre courbes et lignes franches.

Fleurs

ci-dessus Projet de devant de corsage aux fleurs d'églantine,
Joseph Chaumet, atelier de dessin, vers 1890, lavis et rehauts de gouache sur papier translucide.

page 32 Projet de broche bouquet d'hydrangéas et ruban, Joseph Chaumet,
atelier de dessin, vers 1890, lavis et rehauts de gouache sur papier translucide.

Fleurs

« Emblèmes de la beauté du monde, les fleurs ont ainsi, pour d'autres, le sombre dessein de souligner la brièveté de l'existence humaine. Leurs couleurs enchanteresses, leurs parfums envoûtants sont autant de métaphores de ces plaisirs sensuels auxquels l'homme risque de succomber quotidiennement[1]. » La beauté des fleurs, à la fois émouvante et éphémère, passionne les peintres ainsi que les orfèvres et les joailliers qui trouvent dans l'univers du jardin une source d'inspiration toujours renouvelée. Depuis la passion immodérée de l'impératrice Joséphine pour les fleurs, traduite sur le papier par Pierre-Joseph Redouté, peintre de fleurs au Muséum d'histoire naturelle, et transposée en bijoux par Marie-Étienne Nitot, la fleur est sans nul doute un des sujets le plus souvent représenté par les joailliers de Chaumet, tantôt animés par une vision changeante et libre de la nature, tantôt inspirés de l'art ordonné et délicat de l'horticulture et du jardinage. Toutes espèces et toutes formes confondues, la fleur, son pistil, sa tige et ses pétales, ne cessent d'être observés, reproduits, sublimés sur le papier puis dans les métaux et les gemmes. Des roses impériales aux myosotis délicats et aux liserons sauvages, des vifs fuchsias aux nymphéas immaculés, par-delà les distinctions sociales, la fleur demeure le symbole de la beauté féminine et devient l'hommage par excellence des joailliers à la nature et le bouquet floral, un incontournable. Décor ou forme, naturaliste ou stylisée, monochrome ou polychrome, isolée ou en bouquet, la fleur apparaît dans le dessin de joaillerie avant tout comme une impression visuelle, le support délicat de couleurs pures et éclatantes à l'instar des bouquets d'Eugène Delacroix, des pivoines d'Édouard Manet, des anémones d'Odilon Redon ou des amaryllis de Piet Mondrian. Si les fleurs incarnent à elles seules la vitalité de la nature et sont les attributs habituels de Flore, la déesse du printemps, et de Cérès la déesse de l'été et de l'abondance, elles possèdent leur propre langage, admirablement mis en scène dans les bijoux sentimentaux. À la différence des autres éléments naturels, les fleurs stimulent les sens, inspirent le sentiment, expriment les ressentis ou suscitent la réflexion. Les pensées de Jules Fossin traduisent le souvenir et soulagent les peines de cœur tandis que les œillets des diadèmes de Joseph Chaumet évoquent un amour vif et pur. Au-delà de cette symbolique, les fleurs connaissent une immortalité inespérée grâce à l'art du dessin de joaillerie.

Projet de collier floral, Joseph Chaumet, atelier de dessin, 1890-1900, encre,
lavis et rehauts de gouache, pigments dorés sur papier translucide.

Fleurs

ci-dessus Projet de devant
de corsage à fleurs de marguerite,
Joseph Chaumet, atelier de dessin,
vers 1890, crayon graphite,
lavis et rehauts de gouache
sur papier translucide.

ci-contre Projet de devant
de corsage à la fleur de narcisse,
Joseph Chaumet, atelier de dessin,
vers 1890, lavis et rehauts
de gouache sur papier translucide.

page de droite Projet de devant
de corsage à la fleur d'une
inflorescence de primevère, Joseph
Chaumet, atelier de dessin,
vers 1890, lavis et rehauts
de gouache sur papier translucide.

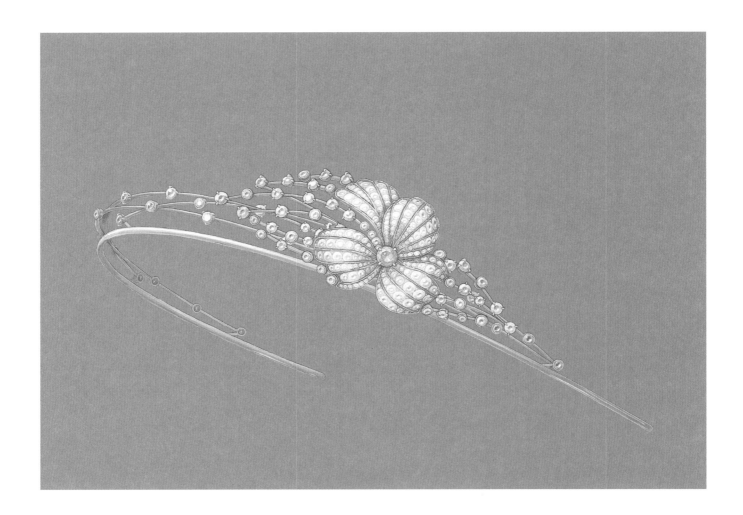

Pensée

Espèces différentes d'un même genre végétal, *Viola*, la violette et la pensée sont cousines. Cette dernière, que l'on trouve dans les jardins, arbore selon ses variétés nombreuses de grandes fleurs vivement colorées. L'aspect très graphique de sa corolle où les pétales imbriqués dessinent une surface courbe en creux explique l'attrait qu'elle produit et sa présence dans l'histoire de l'art et des arts décoratifs. Symbole du souvenir et des sentiments, il n'est pas étonnant de trouver la pensée dans les créations d'une maison de joaillerie. C'est de l'étude détaillée de cette fleur qu'est né chez Chaumet l'extraordinaire diadème pensées créé par Jean-Baptiste Fossin vers 1850. Si Fantin-Latour l'a fait figurer à plusieurs reprises dans ses œuvres, le satiriste et illustrateur Granville la représenta d'une façon unique en 1857 dans sa série zoomorphe *Les fleurs animées*, dans laquelle chaque fleur incarne une personnalité marquée · MARC JEANSON

ci-dessus Dessin du diadème transformable *Pensée* en or blanc et jaune, serti d'un diamant jaune Fancy Vivid Yellow VS2 taille brillant de 1,03 carat, de diamants jaunes et diamants taille brillant. Collection *Le Jardin de Chaumet*, 2023.

Projet de collier aux fleurs de pensée, Joseph Chaumet, atelier de dessin, vers 1900,
crayon graphite, gouache et rehauts de gouache, lavis d'encre sur papier translucide.

Projet de devant de corsage pavot, Joseph Chaumet, atelier de dessin,
vers 1890, crayon graphite, gouache et rehauts de gouache, pigments dorés sur papier teinté.

en haut Projet de devant de corsage aux fleurs
d'églantine, Joseph Chaumet, atelier de dessin, vers 1900,
crayon graphite, gouache et rehauts de gouache,
lavis d'encre grise sur papier teinté.

en bas Projet d'aigrette à la fleur d'aubépine,
Joseph Chaumet, atelier de dessin, vers 1900,
crayon graphite, gouache et rehauts de gouache,
lavis d'encre grise sur papier teinté.

Projet de broche à la fleur de michauxia, Joseph Chaumet,
atelier de dessin, vers 1900, gouache, lavis sur papier ciré.

Butome

L'univers botanique de Chaumet, le nombre important des espèces végétales rencontrées dans les archives de la Maison, est vaste et surprenant. Au-delà des fleurs les plus luxueuses et les plus attendues, on découvre en parcourant les albums de dessins une petite fougère et un humble trèfle, un modeste chardon et une étude d'algue. C'est l'univers végétal dans sa variété qui se retrouve comme source d'inspiration pour les ateliers. Le jonc fleuri, encore appelé butome en ombelle, espèce relativement rare en Europe, est une plante aquatique, introduite en Europe depuis le Sud-Est asiatique et mesurant jusqu'à 1,50 mètre de haut. Ses fleurs blanches, rosées ou roses sont très décoratives et organisées en ombelles, ses feuilles sont linéaires et coupantes. Peut-être est-ce la pureté et l'élégance de la floraison de cette plante ou le fait qu'elle se rencontre dans les zones humides aux côtés des massettes et nénuphars, aussi chers à Chaumet, qui explique sa présence dans les archives de la Maison · MARC JEANSON

ci-dessus Projet de broche butome, Joseph Chaumet, atelier de dessin,
vers 1910, crayon graphite, gouache, lavis sur papier ciré.

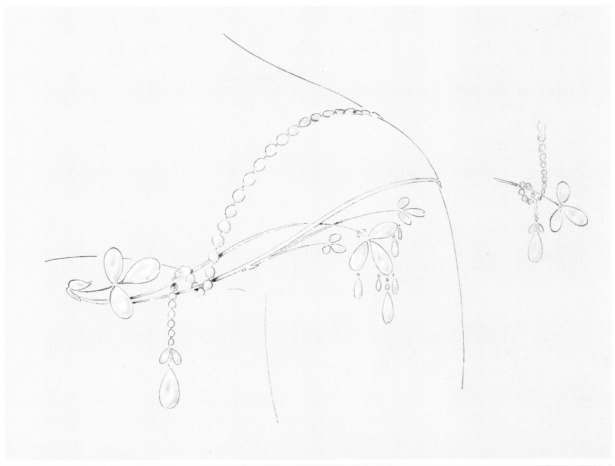

page de gauche Projet de devant de corsage,
Joseph Chaumet, atelier de dessin, vers 1900, crayon
graphite, gouache, lavis sur papier teinté.

ci-dessus Deux projets de bijoux d'épaule
aux trèfles, Joseph Chaumet, atelier de dessin, vers 1900,
crayon graphite, gouache, lavis sur papier teinté.

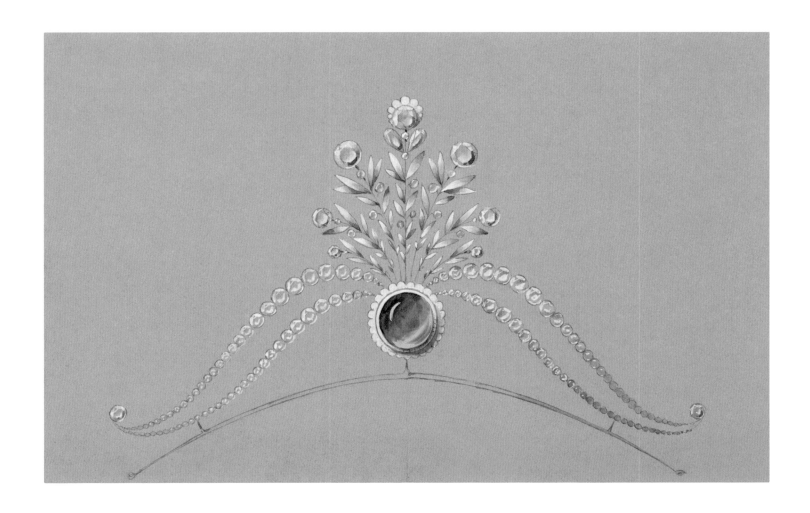

Vos heures sont des fleurs
l'une à l'autre enlacées ;
Ne les effeuillez pas plus vite
que le temps.

Victor Hugo, *À une jeune fille*, 1825

ci-dessus Projet de diadème floral, Joseph Chaumet, atelier de dessin,
vers 1890, crayon graphite, gouache et rehauts de gouache sur papier teinté.

en haut Projet d'aigrette à la fleur de marguerite,
Joseph Chaumet, atelier de dessin, 1898, crayon graphite,
gouache et rehauts de gouache sur papier teinté.

en bas Projet d'aigrette à fleur d'églantine,
Joseph Chaumet, atelier de dessin, vers 1900, crayon graphite,
gouache et rehauts de gouache sur papier teinté.

en haut Projet de broche à la fleur de pivoine,
Joseph Chaumet, atelier de dessin, vers 1890, crayon graphite,
plume et encre grise, lavis et rehauts de gouache
et d'encre sur papier teinté.

en bas Projet de devant de corsage aux liserons,
Joseph Chaumet, atelier de dessin, vers 1890, crayon graphite,
plume et encre grise, lavis et rehauts de gouache
et d'encre sur papier teinté.

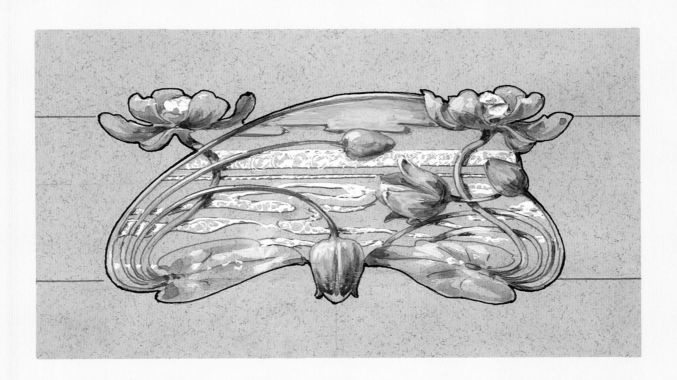

Nénuphar

L'une des plantes aquatiques les plus connues, le nénuphar, porte en elle une symbolique forte. Son rhizome ancré dans la vase des cours d'eau calmes donne naissance à des fleurs pures et colorées s'étalant à leur surface. Celles-ci ne s'épanouissent que quelques heures puis disparaissent sous la surface de l'eau. C'est grâce à l'hybridation du nénuphar blanc de nos régions, espèce rustique, avec des espèces tropicales aux floraisons chatoyantes mais non rustiques, qu'à partir de la moitié du XIXᵉ siècle la palette de couleurs des nénuphars cultivables sous climats tempérés s'étend. C'est ce travail de croisement présenté à l'Exposition universelle de Paris en 1889 qui va faire naître chez Claude Monet l'amour de ces plantes qu'il décida de cultiver à Giverny. L'ensemble d'œuvres intitulé *Les Nymphéas*, dédié à cette plante, est le témoignage de cet émerveillement du grand peintre. Le nuphar jaune, espèce commune en Europe, fut également un motif naturel essentiel pour l'Art nouveau de l'École de Nancy et en particulier pour les meubles de l'ébéniste et décorateur Louis Majorelle · MARC JEANSON

ci-dessus Projet de broche à la fleur de nymphéa blanc, Joseph Chaumet, atelier de dessin, vers 1900, plume et encre noire, lavis et rehauts de gouache sur papier teinté

ci-dessus Fleur fraîche de pivoine,
Joseph Chaumet, laboratoire photographique,
avant 1904, tirage d'après négatif sur plaque
de verre au gélatino-bromure d'argent.

page de droite Projet de collier aux fleurs
de pavot et de marguerite, Joseph Chaumet,
atelier de dessin, vers 1890, crayon graphite, plume
et encre grise, aquarelle sur papier teinté.

double page suivante, à gauche Projet de collier
aux fleurs de pavot et fleurs sauvages,
Joseph Chaumet, atelier de dessin, vers 1890, gouache,
lavis et rehauts de gouache sur papier teinté.

double page suivante, à droite Projet de collier
aux motifs épis de blé et fleurs de pavot,
Joseph Chaumet, atelier de dessin, vers 1890, gouache,
lavis et rehauts de gouache sur papier teinté.

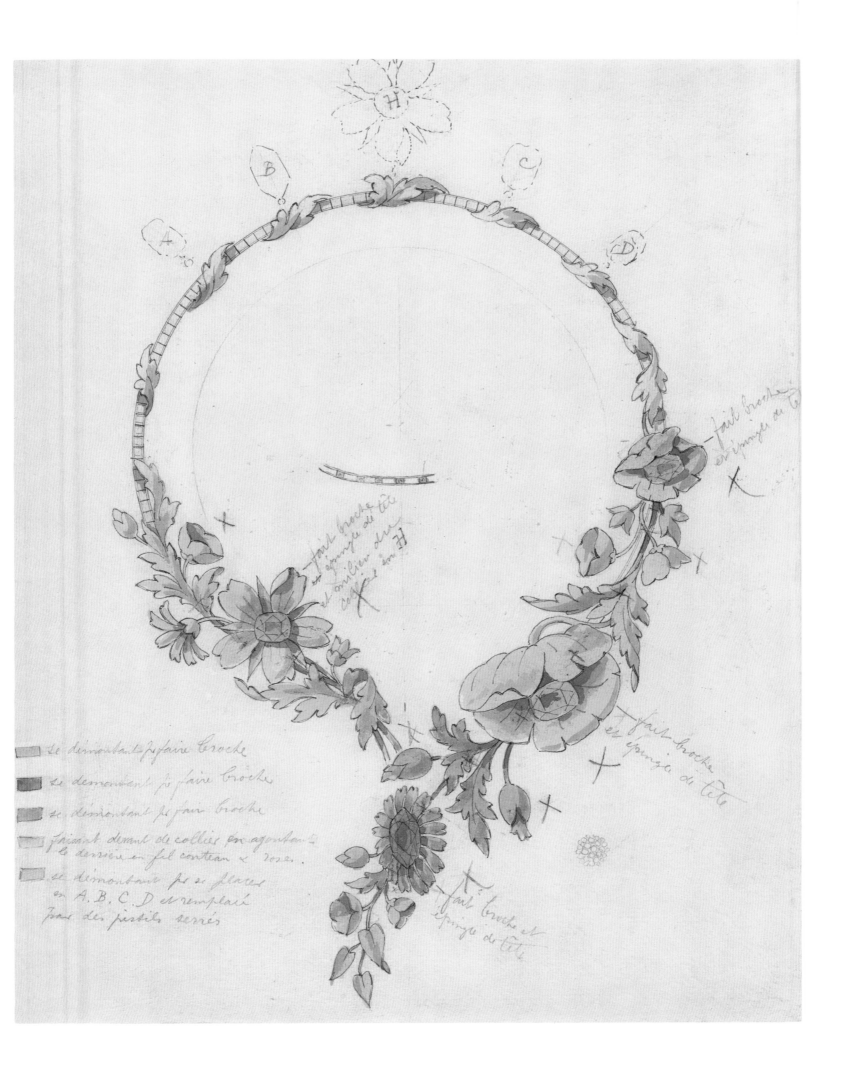

se démontant pr faire broche

se démontant pr faire broche

se démontant pr faire broche

faisant devant de collier en ajoutant
le derrière en fil couteau & roses.

se démontant pr se placer
en A. B. C. D et remplacé
par des pistils serrés

en haut Projet de devant de corsage aux fleurs de chrysanthème, Joseph Chaumet, atelier de dessin, vers 1890-1900, crayon graphite, lavis et rehauts de gouache sur papier teinté.

en bas Projet de devant de corsage aux roses, Joseph Chaumet, atelier de dessin, vers 1890-1900, crayon graphite, plume, lavis et rehauts de gouache sur papier teinté.

Projet de devant de corsage aux fleurs d'églantine, Joseph Chaumet,
atelier de dessin, vers 1890, crayon graphite, lavis et rehauts de
gouache et gomme arabique sur papier teinté.

Dessin du collier transformable *Iris* en or blanc, serti d'un spinelle rose taille coussin de 24,26 carats, de saphirs padparadscha taille fantaisie, de spinelles roses taille fantaisie, de diamants taille baguette et brillant. Collection *Le Jardin de Chaumet*, 2023.

Chaque fleur est une âme
à la nature éclose.

Gérard de Nerval, *Vers dorés* dans *Odelettes*, 1853

ci-dessus Fleurs fraîches d'iris, Joseph Chaumet, laboratoire photographique, vers 1900,
positif d'après négatif sur plaque de verre au gélatino-bromure d'argent.

Deux projets de diadèmes aux marguerites, Joseph Chaumet, atelier de dessin,
vers 1900, crayon graphite, gouache et rehauts de gouache sur papier translucide.

Projet de collier à double rang fil couteau et floral, Joseph Chaumet, atelier de dessin,
vers 1890, crayon graphite, gouache et rehauts de gouache sur papier translucide.

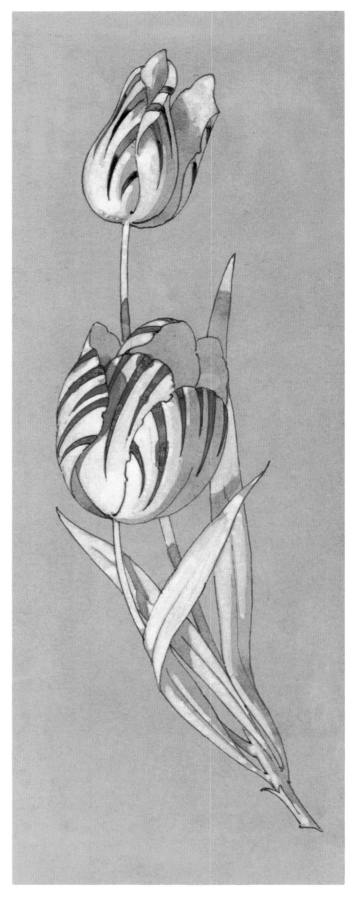

à gauche en haut Projet de devant de corsage
aux feuilles de jasmin, Joseph Chaumet,
atelier de dessin, vers 1900, gouache, lavis et rehauts
de gouache sur papier teinté.

à gauche en bas Projet de diadème-aigrette
aux trèfles, Joseph Chaumet, atelier de dessin, vers
1900, crayon graphite, plume et encre brune, lavis
de gouache et d'encre, sur papier teinté.

ci-contre Étude de tulipe pour une grande broche,
Joseph Chaumet, atelier de dessin, vers 1890,
gouache et lavis de gouache sur papier teinté.

page de droite Dessin du collier transformable
Tulipe en or blanc, serti d'un spinelle rouge poire
de 10,80 carats, d'un diamant E VVS2 poire
de 1,01 carat, de spinelles rouges calibrés, de grenats
mandarins ronds, de diamants calibrés et taille brillant.
Collection *Le Jardin de Chaumet*, 2023.

Projet de collier fleur d'orchidée, Joseph Chaumet, atelier de dessin, vers 1890,
gouache, lavis et rehauts de gouache sur papier translucide.

Projet de collier fleur d'orchidée, Joseph Chaumet, atelier de dessin, vers 1890,
gouache, lavis et rehauts de gouache sur papier translucide.

Orchidée

Cette fleur iconique, dont les couleurs et les formes sont extraordinairement diversifiées, est présente dans de très nombreuses régions du monde. C'est cependant sous les tropiques, et surtout dans les forêts tropicales humides que leur diversité explose. Là, s'y rencontrent des orchidées terrestres mais aussi des épiphytes, poussant perchées sur les branches maîtresses des grands arbres. Au XIXe siècle les orchidées furent de plus en plus cultivées en Europe, grâce aux progrès de l'horticulture à cette époque de nombreux hybrides furent également créés. Symbolisant l'élégance, l'amour, la ferveur mais aussi la sexualité, elles fascinèrent quantité de collectionneurs, des scientifiques dont Darwin qui vérifia ses intuitions sur l'évolution des espèces dans un ouvrage dédié, des artistes comme Émile Gallé qui réalisa nombre de vases à décor d'orchidée ou des écrivains comme Huysmans ou Marcel Proust qui en fit une fleur signifiante de La Recherche · MARC JEANSON

ci-dessus à gauche Projet de broche à la fleur de lys, Joseph Chaumet, atelier de dessin, vers 1890, gouache, lavis et rehauts de gouache sur papier translucide.

ci-dessus à droite Projet de broche à la fleur d'orchidée, Joseph Chaumet, atelier de dessin, vers 1890, gouache, lavis et rehauts de gouache sur papier translucide.

page de droite Aigrette à la fleur d'orchidée, Joseph Chaumet, laboratoire photographique, avant 1904, tirage d'après un négatif sur plaque de verre au gélatino-bromure d'argent.

Deux projets de broches aux fleurs de fuchsias,
Joseph Chaumet, atelier de dessin, vers 1900-1910,
crayon graphite, plume et encre grise, lavis d'encre et de
gouache, rehauts de gouache sur papier teinté.

en haut Projet de diadème floral aux perles conches,
Joseph Chaumet, atelier de dessin, vers 1900-1910, gouache
et lavis de gouache, crayon graphite, plume et encre grise, lavis
d'encre et de gouache, rehauts de gouache sur papier teinté.

en bas Projet de diadème scabieuse, Joseph Chaumet,
atelier de dessin, vers 1900-1910, gouache et lavis de gouache,
crayon graphite, plume et encre grise, lavis d'encre
et de gouache, rehauts de gouache sur papier teinté.

page de gauche
Projet de collier-aigrette aux fleurs
de liseron et centaurée, Joseph
Chaumet, atelier de dessin, vers 1890,
crayon graphite, plume et encre
brune, lavis de gouache et d'encre,
sur papier teinté.

ci-dessus Projet de broche
au brin de muguet, Joseph Chaumet,
atelier de dessin, vers 1900, crayon
graphite gouache, lavis et rehauts
de gouache sur papier teinté.

ci-contre Projet de broche
à la fleur d'églantine, Joseph Chaumet,
atelier de dessin, vers 1890,
crayon graphite, plume et encre
grise, lavis et rehauts de gouache
et d'encre sur papier teinté.

Projets de devants
de corsage, Joseph Chaumet,
atelier de dessin, vers
1890-1900, crayon graphite,
lavis et rehauts de gouache
sur papier translucide.

Projet de diadème aux chrysanthèmes, Joseph Chaumet, atelier de dessin, vers 1880-1910,
crayon graphite, plume et encre grise, lavis et rehauts de gouache et d'encre sur papier teinté.

Arbres et plantes

ci-dessus Projet de devant de corsage aux feuilles de laurier, Joseph Chaumet, atelier de dessin, vers 1890, crayon graphite, lavis et rehauts de gouache sur papier teinté.

page 76 Études documentaires de feuillages, clématite, renoncule, fraisier des bois, aubépine, lierre et liseron, Joseph Chaumet, atelier de dessin, vers 1885, crayon graphite, lavis et rehauts de gouache sur papier translucide.

Arbres
et plantes

Si la nature végétale, sauvage ou cultivée, inspire les artistes depuis l'Antiquité, ce sont le développement des natures mortes en tant que genre pictural au XVIIe siècle, puis l'essor au XIXe siècle des sciences botanique et naturelle qui nourrissent l'imaginaire des maisons joaillières. L'audace de la Maison Chaumet s'exprime à la fois dans un goût constant pour des plantes emblématiques à la forte symbolique, telles que le blé, la vigne et le chêne, et dans une curiosité sans limites pour des plantes plus modestes, voire méconnues telles que le lierre, l'avoine, le roseau, le houx, le chardon, le trèfle et la fougère. En explorant le monde des jardins et des sous-bois jusqu'aux plus petites mauvaises herbes, Chaumet porte un regard singulier sur les végétaux et s'intéresse à des motifs peu sollicités jusque-là pour leurs qualités esthétiques, à la manière du peintre romantique Eugène Delacroix qui dessine des feuillages et liserons, ou de l'impressionniste Édouard Manet qui saisit un concombre ou une botte d'asperges. Cette nature sauvage se prête admirablement aux recherches graphiques et plastiques des dessinateurs sur les formes et les couleurs. Peu de motifs naturalistes ont autant marqué l'histoire des arts décoratifs que le rinceau d'acanthe, depuis les colonnes corinthiennes, dès le Ve siècle avant notre ère et jusqu'à l'Empire napoléonien. Signe du triomphe sur les difficultés de la vie, cette plante à épines est devenue un classique joaillier, prisé par la Maison jusqu'à la Belle Époque. Historiquement associé à la fonction nourricière de la République, ce symbole de fécondité, de prospérité et d'éternel renouveau qu'est le blé est présent dès le XVIIIe sur le poinçon du fondateur Marie-Étienne Nitot. Il est également le motif favori de l'impératrice Joséphine qui l'arbore en diadème. Porté sur le haut de la tête, sur le front en guirlande ou en broche, l'épi de blé est très populaire à l'époque romantique. Symbole d'abondance et de vie, la vigne est aussi très appréciée par Jules Fossin dans les années 1850, tant pour sa symbolique évocatrice que pour la forme décorative de ses feuilles découpées. Des végétaux plus ordinaires, et donc moins représentés habituellement, font l'objet d'un regard attentif des joailliers de Chaumet, à l'instar des feuilles de chêne, de lierre ou de trèfle et des branches de roseau, d'avoine, ou de groseillier qui se retrouvent en particulier sur les diadèmes et les aigrettes. En s'emparant en 2017 de la thématique du « jardin à la française », Scott Armstrong, ancien étudiant de la Central Saint Martins ayant remporté le concours proposé par Chaumet et aujourd'hui designer au studio de création de la Maison, allie le classicisme élégant des allées rectilignes à l'abstraction des formes des plantes dans un diadème dénommé *Vertiges*. Ce déséquilibre volontaire synthétise près de deux cents ans d'inspiration botanique et modernise un regard ancestral porté sur des espèces végétales, des plus renommées aux plus humbles.

Arbres et plantes

page de gauche Projet de devant de corsage aux feuilles de lierre, Joseph Chaumet, atelier de dessin, vers 1900, crayon graphite, plume et encre brune, lavis de gouache et d'encre, sur papier teinté.

De maints rubis
et maintes perles rondes,
Serre les flots
de ses deux tresses blondes,
Mon cœur se plaît
en son contentement.

Pierre de Ronsard, *Les amours*, 1553

double page suivante, en haut
Projet de diadème avoine,
Joseph Chaumet, atelier de dessin,
vers 1900-1910, crayon graphite,
plume et encre grise, lavis d'encre
et de gouache, rehauts de gouache
sur papier teinté.

double page suivante, en bas
Projet de diadème aux graminées,
Joseph Chaumet, atelier de dessin,
vers 1900-1910, crayon graphite,
plume et encre grise, lavis d'encre
et de gouache, rehauts de gouache
sur papier teinté.

page de gauche Projet
de diadème aux œillets, Joseph
Chaumet, atelier de dessin, 1900-
1910, crayon graphite, plume et
encre brune, lavis de gouache
et d'encre sur papier teinté.

ci-dessus Projet de broche ginkgo
biloba, Joseph Chaumet, atelier
de dessin, vers 1900-1910, crayon
graphite, plume et encre grise, lavis
d'encre et de gouache, rehauts
de gouache sur papier teinté.

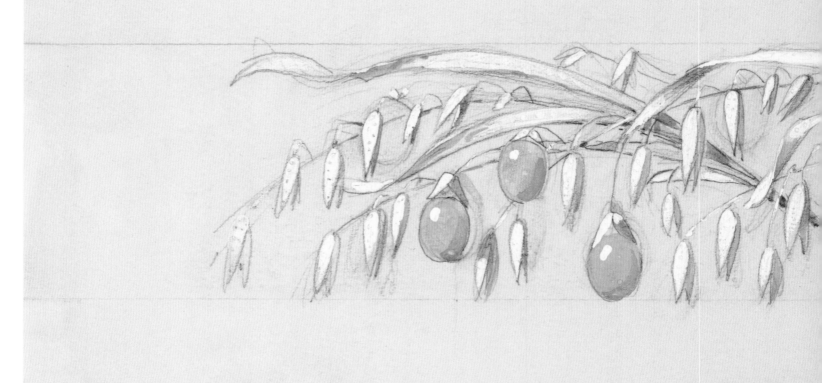

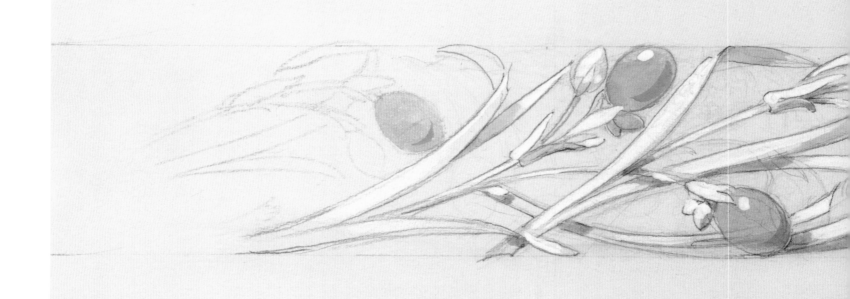

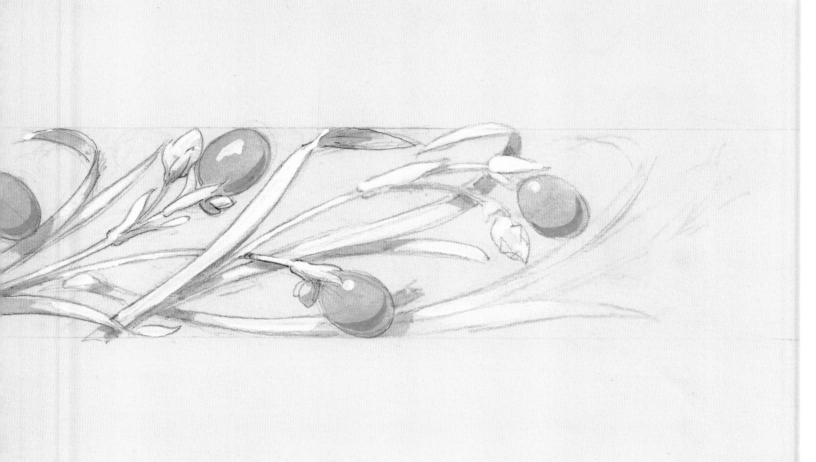

Deux projets de devants de corsage
aux feuilles de houx, Joseph Chaumet, atelier de dessin,
vers 1900, gouache, lavis et rehauts de gouache
sur papier teinté.

en haut Projet de broche florale,
Joseph Chaumet, atelier de dessin, vers 1890,
gouache, lavis et rehauts de gouache
sur papier teinté.

en bas Trois projets de broches fougère,
Joseph Chaumet, atelier de dessin, 1890-1900,
gouache, lavis et rehauts de gouache
sur papier teinté.

Vigne

La vigne est une liane dont l'ancêtre sauvage, le lambrusque, fut domestiqué il y a environ 8 000 ans entre la mer Noire et l'Iran. Très vigoureuse, la plante s'accroche aux supports sur lesquels elle se développe grâces à des vrilles puissantes. Sa forte symbolique liée au vin, son allure élancée et gracile, l'allure tourmentée de ses sarments, la beauté de ses grappes lourdes et de ses feuilles découpées ainsi que la souplesse de ses vrilles lui ont valu d'être représentée de tous temps dans de nombreuses formes d'art. À la frontière entre botanique et art, le peintre baroque Bartolomeo Bimbi rendit compte dans ses œuvres de la diversité des couleurs et des formes des grappes et des feuilles. Ses réalisations étaient destinées essentiellement à l'ornementation des villas médicéennes. Le motif de la vigne est très présent dans les créations de Chaumet qui sut l'observer et transposer précisément sa morphologie et ses caractéristiques par le biais de pierres, de métaux et de techniques comme l'émail · MARC JEANSON

ci-dessus Projet de devant de corsage à la vigne, Joseph Chaumet, atelier de dessin, vers 1890, crayon graphite, gouache et rehauts de gouache sur papier teinté.

page de droite Dessin du collier *Feuille de Vigne* en or blanc, serti d'un rubis taille coussin du Mozambique de 5,18 carats, de rubis, spinelles noirs et gris calibrés, de diamants taille fantaisie et taille brillant. Collection *Le Jardin de Chaumet*, 2023.

ci-dessus Projet de devant de corsage
à la grappe de raisin, Joseph Chaumet, atelier
de dessin, 1890-1900, gouache, lavis et rehauts
de gouache sur papier teinté.

page de droite Devant de corsage vigne et grappes
de raisin, Joseph Chaumet, laboratoire photographique,
vers 1890-1900, tirage d'après négatif sur plaque
de verre au gélatino-bromure d'argent.

ci-dessus Projet de devant de corsage aux
fleurs d'églantine, Joseph Chaumet, atelier de dessin,
vers 1900, crayon graphite, lavis et rehauts
de gouache et d'encre sur papier teinté.

ci-contre Projet de devant de corsage aux
feuilles de lierre, Joseph Chaumet, atelier de dessin,
vers 1910, crayon graphite, lavis et rehauts
de gouache sur papier teinté.

en haut Projet de devant de corsage en forme
de branche de chêne, Joseph Chaumet, atelier de dessin,
vers 1890, gouache, lavis et rehauts de gouache
sur papier teinté.

en bas Projet de diadème aux fleurs,
Joseph Chaumet, atelier de dessin, vers 1900,
crayon graphite, lavis et rehauts de gouache
sur papier teinté.

en haut Projet de diadème
lierre, Joseph Chaumet, atelier
de dessin, vers 1910, crayon graphite,
lavis et rehauts de gouache
sur papier teinté.

en bas Projet de diadème
fougère et lierre diamants, Joseph
Chaumet, vers 1910, crayon graphite,
lavis et rehauts de gouache
sur papier teinté.

page de droite Projet de devant de
corsage aux feuilles de lierre, Joseph
Chaumet, atelier de dessin, vers 1910,
crayon graphite, lavis et rehauts
de gouache sur papier teinté.

ci-dessus Deux projets
de diadèmes lierre, Joseph Chaumet,
atelier de dessin, vers 1890,
crayon graphite, lavis et rehauts
de gouache sur papier teinté.

page de droite, en haut Diadème fougère
et lierre diamants, Joseph Chaumet, laboratoire
photographique, 1910, tirage d'après négatif
sur plaque de verre au gélatino-bromure d'argent.

page de droite, en bas Projet de diadème aux feuilles
de lierre surmontées de fougères, Joseph Chaumet,
atelier de dessin, vers 1910, crayon graphite,
lavis et rehauts de gouache sur papier teinté.

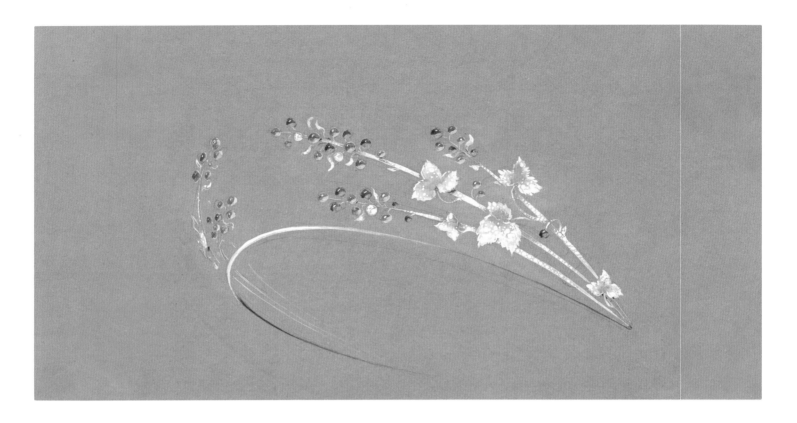

ci-dessus Deux projets de diadèmes aux groseilliers,
Joseph Chaumet, atelier de dessin, vers 1890,
crayon graphite, gouache et rehauts de gouache
et d'encre sur papier teinté.

page de droite, en haut Projet de diadème
aux motifs de palmes, Joseph Chaumet, atelier
de dessin, vers 1900, crayon graphite, gouache
et rehauts de gouache sur papier teinté.

page de droite, en bas Projet de diadème
aux fleurs d'orchidée, Joseph Chaumet, atelier de dessin,
vers 1890, crayon graphite, gouache et rehauts
de gouache et d'encre sur papier teinté.

Maquettes 1209 – 1209 bis

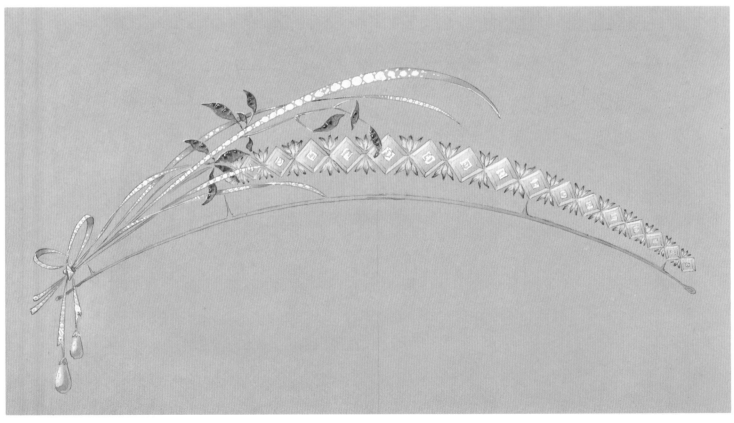

ci-dessus et page de droite Projets d'aigrettes typha, Joseph Chaumet,
atelier de dessin, vers 1900, crayon graphite, plume et encre brune, lavis
de gouache et d'encre, rehauts de gouache sur papier teinté.

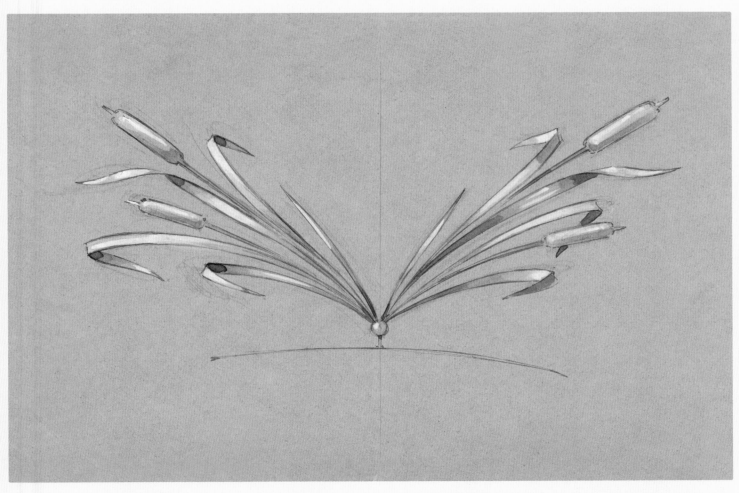

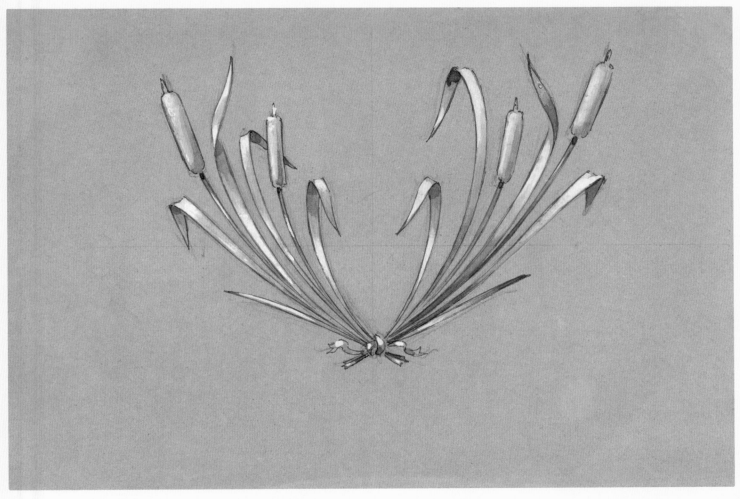

Que le vent
qui gémit,
le roseau
qui soupire,
Que les parfums
légers de ton
air embaumé,
Que tout ce
qu'on entend,
l'on voit
ou l'on respire,
Tout dise :
Ils ont aimé !

Alphonse de Lamartine, *Le lac*, 1820

ci-contre Projet de devant de corsage
typha, Joseph Chaumet, atelier de dessin,
vers 1880, crayon graphite, gouache, lavis et rehauts
de gouache sur papier translucide.

page de droite Projet de devant de corsage
aux fleurs de chrysanthème, Joseph Chaumet,
atelier de dessin, vers 1890, crayon graphite, gouache
et rehauts de gouache sur papier teinté.

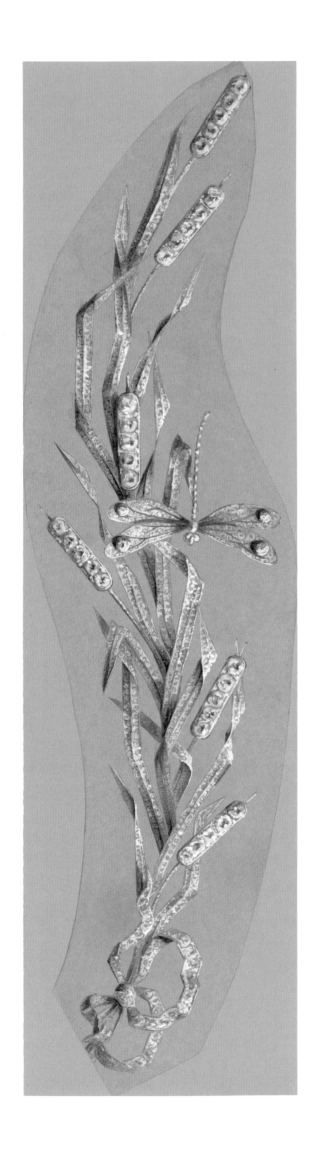

page de gauche, à gauche Projet de devant
de corsage typha et libellule, Joseph Chaumet, atelier
de dessin, vers 1880, crayon graphite, plume et
encre grise, lavis d'encre, lavis et rehauts de gouache,
lavis de gomme arabique sur papier teinté.

page de gauche, à droite Projet de devant
de corsage typha, Joseph Chaumet, atelier de dessin,
vers 1880, crayon graphite, plume et encre noire,
lavis d'encre, lavis et rehauts de gouache,
lavis de gomme arabique sur papier teinté.

ci-contre Projet de devant de corsage branche florale
au papillon, Joseph Chaumet, atelier de dessin, vers
1890-1900, crayon graphite, lavis et rehauts de gouache,
rehauts de gomme arabique sur papier teinté.

ci-dessus Projet de devant de corsage laurier et papillon,
Joseph Chaumet, atelier de dessin, vers 1890, plume
et encre noire, lavis d'encre et de gouache, rehauts
de gouache et de gomme arabique sur papier teinté gris.

Deux projets de diadèmes lierre, Joseph Chaumet, atelier de dessin,
vers 1910, crayon graphite, lavis et rehauts de gouache sur papier teinté.

Maquette 1405.

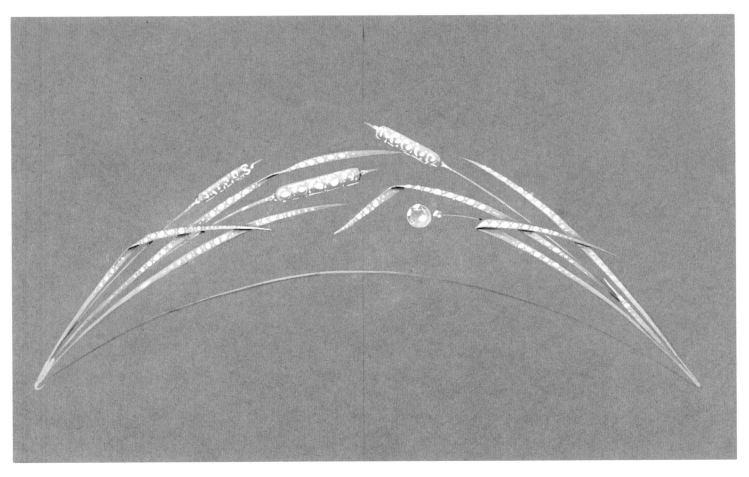

Deux projets de diadèmes typha, Joseph Chaumet, atelier de dessin, vers 1910,
crayon graphite, lavis et rehauts de gouache sur papier teinté.

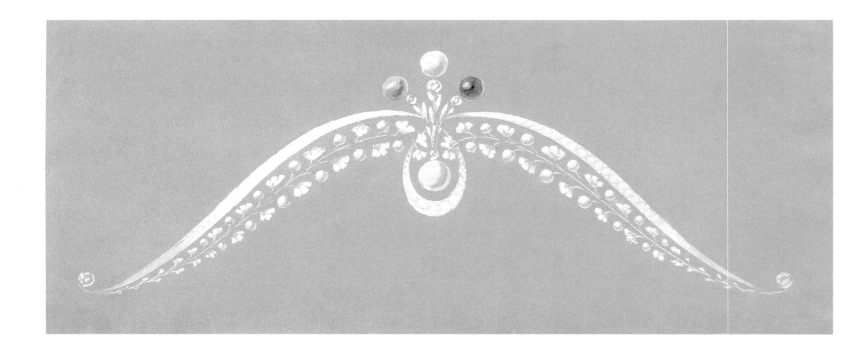

en haut Projet de diadème aux feuilles de ginkgo biloba,
Joseph Chaumet, atelier de dessin, vers 1900, crayon graphite,
gouache et rehauts de gouache et d'encre sur papier teinté.

en bas Projet de diadème au motif floral, Joseph Chaumet,
atelier de dessin, vers 1900, crayon graphite, gouache
et rehauts de gouache et d'encre sur papier teinté.

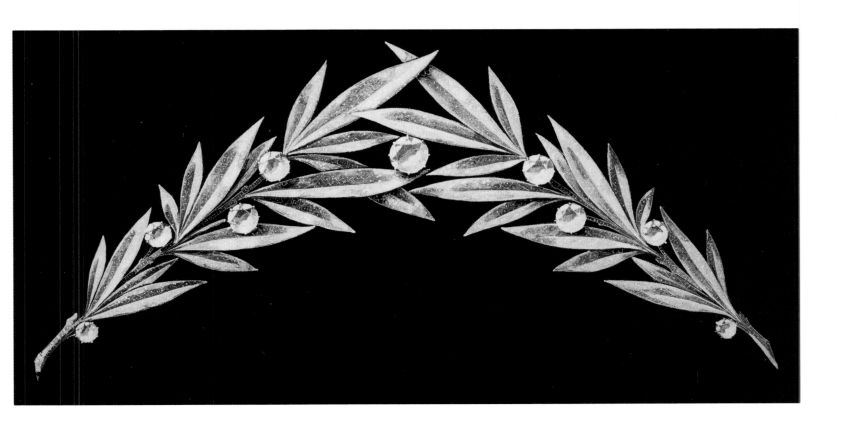

Deux projets de diadèmes laurier, Joseph Chaumet, atelier de dessin, vers 1890-1905,
crayon graphite, encre noire, gouache et rehauts sur papier teinté.

Toujours, sous les rameaux
du laurier de Virgile,
Le pâle hortensia s'unit au myrte vert !

Gérard de Nerval, *Myrtho*, 1854

Projet de diadème aux feuilles de laurier, Joseph Chaumet, atelier de dessin,
1890, crayon graphite, plume et encre brune, lavis de gouache et d'encre sur papier teinté.

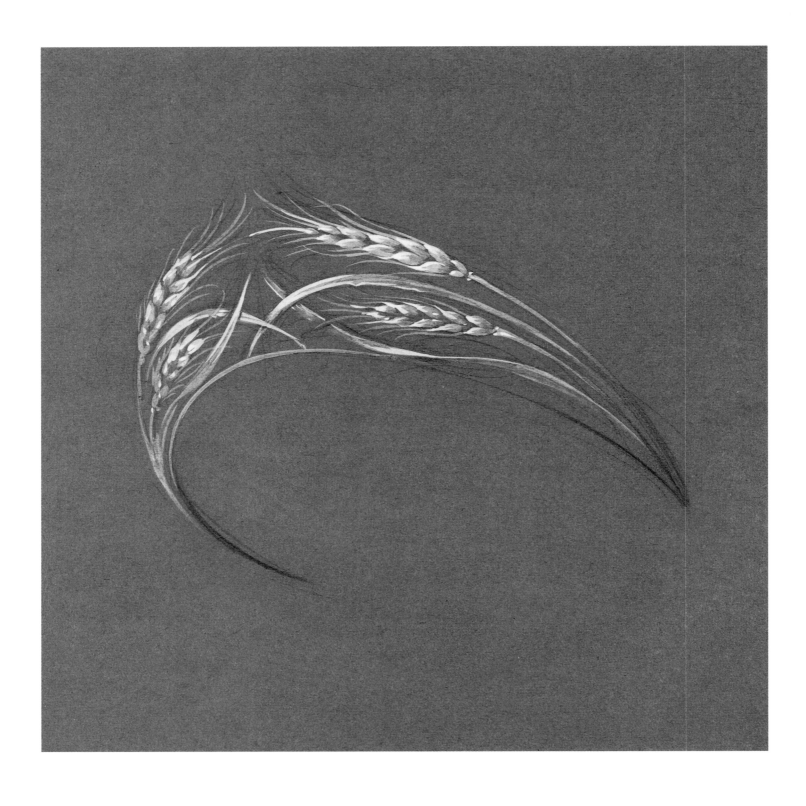

Projet de diadème aux épis de blé, Joseph Chaumet, atelier de dessin,
vers 1900-1910, crayon graphite, gouache et rehauts de gouache sur papier teinté.

Diadème épis de blé, François-Regnault Nitot,
vers 1811, or, argent, diamants.

Le soleil du matin doucement chauffe et dore
Les seigles et les blés tout humides encore,
Et l'azur a gardé sa fraîcheur de la nuit.

Paul Verlaine, *La bonne chanson*, 1870

ci-dessus Projet de diadème-aigrette aux épis de blés,
Joseph Chaumet, atelier de dessin, vers 1890-1900,
crayon graphite, plume et encre brune, lavis de gouache
et d'encre sur papier translucide.

page de droite Dessin gouaché du bandeau
Offrandes d'été en or blanc, serti d'un diamant poire D VVS2
de 3,01 carats et de diamants taille brillant.
Collection *La Nature de Chaumet*, 2016.

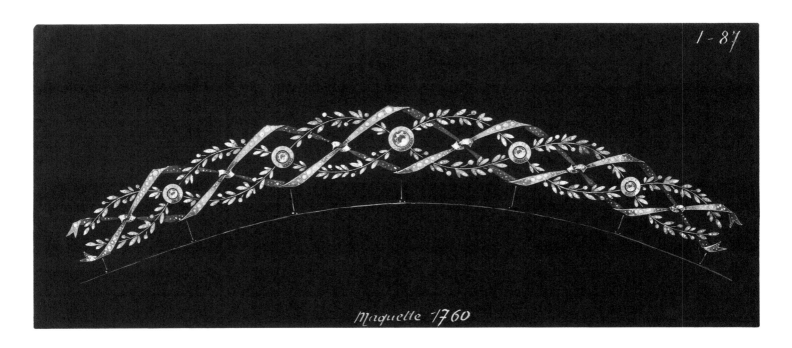

Maquette 1760

en haut Projet de serre-cou laurier transformable
en diadème bandeau, Joseph Chaumet,
atelier de dessin, vers 1905, crayon graphite,
gouache, lavis et rehauts sur papier teinté.

en bas Projet de diadème aux feuilles
de laurier, Joseph Chaumet, atelier de dessin,
vers 1900, crayon graphite, gouache
et rehauts de gouache sur papier teinté.

page de droite, en haut Projet de diadème
aux feuilles de laurier, Joseph Chaumet,
atelier de dessin, vers 1900, crayon graphite, gouache
et rehauts de gouache sur papier teinté.

page de droite, en bas Projet de diadème
bandeau aux feuilles, Joseph Chaumet,
atelier de dessin, vers 1900-1910, crayon graphite,
gouache, lavis sur papier teinté.

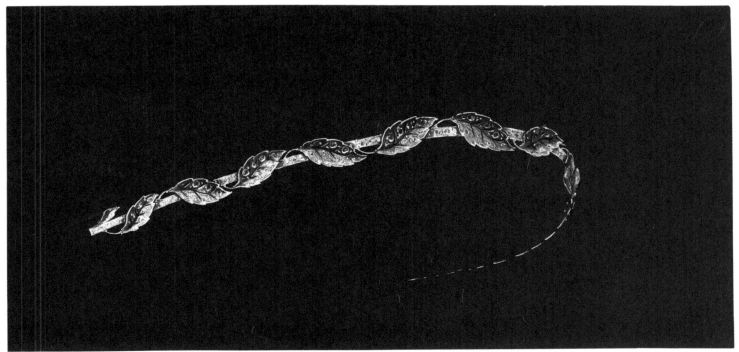

Dessin du collier *Gui* en or blanc, serti d'une émeraude taille coussin de Colombie de 21,59 carats,
de perles fines, de diamants calibrés et taille brillant. Collection *Le Jardin de Chaumet*, 2023.

Gui

Parasite végétal formant des boules buissonnantes aux dimensions parfois imposantes sur les hautes branches des arbres, la vie du gui commence par une graine laissée par le bec d'un oiseau sur une branche. En germant la graine perce l'écorce de l'arbre porteur pour accéder à la sève. Une fois cette connexion établie le gui développera des feuilles larges et se couvrira de fruits globuleux d'un blanc glauque. Ses tiges dont la ramification est parfaitement dichotomique, ses feuilles épaisses et ses baies presque nacrées inspirèrent une grande diversité d'artistes. D'André Derain dont quelques aquarelles au dessin délié de branches de gui attestent de son observation patiente, à des joailliers comme Joseph Chaumet ou encore les grandes figures de l'École de Nancy qui en transposèrent les formes dans une multitude d'objets, vaisselles, lustres… Cette étonnante plante fut également recherchée pour ses vertus magiques et bénéfiques par des générations de druides en Europe · MARC JEANSON

ci-dessus Étude de diadème aux branches de gui, Joseph Chaumet, atelier de dessin, vers 1910, crayon graphite, gouache, lavis et rehauts sur papier teinté.

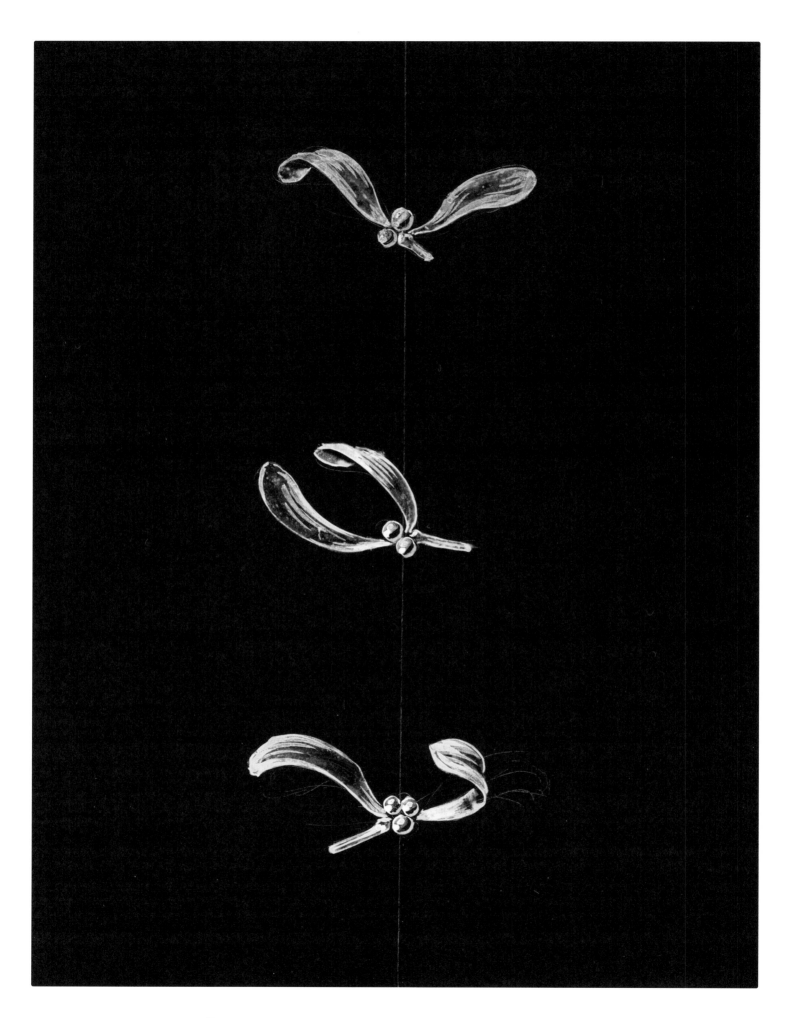

Trois projets de broches gui, Joseph Chaumet, atelier de dessin, vers 1890-1900,
gouache, lavis et rehauts de gouache sur papier teinté.

Deux études de devants de corsage gui, Joseph Chaumet, atelier de dessin, vers 1900,
crayon graphite, plume et encre grise, lavis d'encre et rehauts de gouache sur papier teinté.

Si j'étais
la feuille
que roule
L'aile
tournoyante
du vent,
Qui flotte
sur l'eau
qui s'écoule,
Et qu'on suit
de l'œil
en rêvant

Victor Hugo, *Vœu*, 1829

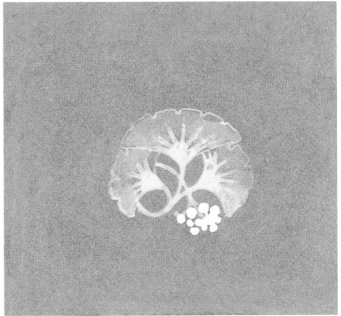

page de gauche, en haut Projet de broche gui,
Joseph Chaumet, atelier de dessin, vers 1900, crayon graphite,
lavis et rehauts de gouache sur papier translucide.

page de gauche, en bas Projet de broche trèfle,
Joseph Chaumet, atelier de dessin, vers 1900, lavis
et rehauts de gouache sur papier translucide.

en haut et au milieu Projet de broche ginkgo biloba,
Joseph Chaumet, atelier de dessin, vers 1900,
lavis et rehauts de gouache sur papier translucide.

en bas Projet de broche trèfle, Joseph Chaumet,
atelier de dessin, vers 1900, lavis et rehauts de gouache
sur papier translucide.

ci-dessus et page de gauche Deux projets de peignes aux trèfles,
Joseph Chaumet, atelier de dessin, vers 1890-1900, crayon graphite,
gouache et rehauts de gouache sur papier translucide.

ci-dessus Projet de peigne
diamants et émeraudes
gouttes, Joseph Chaumet,
atelier de dessin, vers 1890-1900,
crayon graphite, gouache
et rehauts de gouache
sur papier translucide.

page de droite, en haut
Projet de peigne aux motifs
de feuillages, Joseph Chaumet,
atelier de dessin, vers 1890-1900,
crayon graphite, gouache
et rehauts de gouache
sur papier translucide.

page de droite, en bas
Projet de peigne aux motifs
de feuillages alternés de saphirs,
Joseph Chaumet, atelier
de dessin, vers 1890-1900, crayon
graphite, gouache et rehauts
de gouache sur papier teinté.

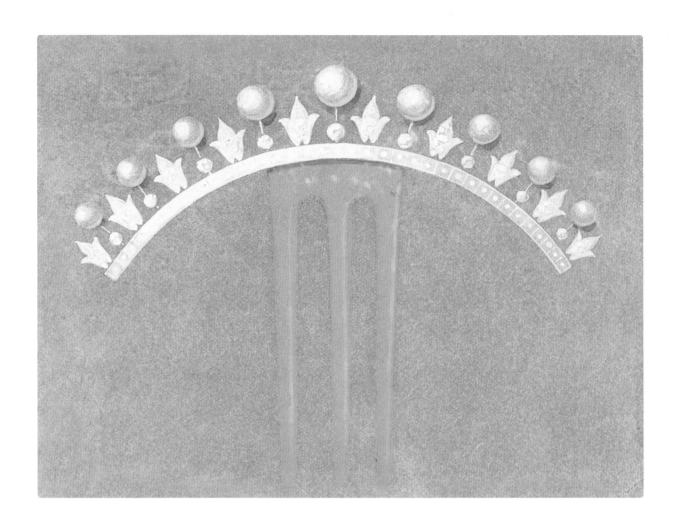

ci-dessus Deux études de bracelets à l'émeraude
centrale et motifs de feuillage, Joseph Chaumet,
atelier de dessin, vers 1900, crayon graphite, gouache
et rehauts de gouache et d'encre sur papier teinté.

page de droite Trois projets de bracelets
au trèfle, Joseph Chaumet, atelier de dessin,
vers 1890, crayon graphite, gouache
et rehauts de gouache sur papier translucide.

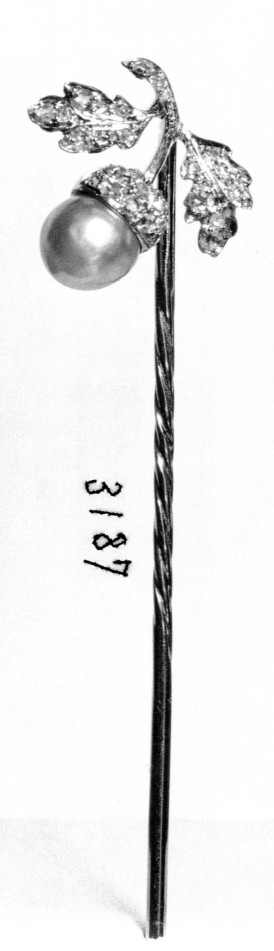

Chêne

Le chêne est un des arbres de nos latitudes parmi les plus imposants et les plus communs. Porteur d'une multitude de symboliques dans de nombreuses cultures et depuis des millénaires, l'arbre est associé à la force, à la longévité ou encore à la justice. Cupule, gland, bourgeon, feuille, la morphologie du chêne s'est vue transposée abondamment dans les arts et les arts décoratifs. Ainsi le majestueux *Chêne de Flagey*, cette célèbre peinture de paysage de Gustave Courbet réalisée dans son Doubs natal en 1864, ou encore les vases piriformes ou soliflores du maître verrier Émile Gallé. Cette espèce commune est aussi largement représentée dans l'orne-mentation architecturale et les archives de Chaumet témoignent de son importance dans la création joaillère de la Maison aussi bien pour les bijoux féminins (diadèmes, colliers) que masculins (épingles à cravate) · MARC JEANSON

page de gauche Épingle feuilles et gland de chêne, Joseph Chaumet, laboratoire photographique, vers 1890-1900, positif d'après négatif sur plaque de verre au gélatino-bromure d'argent.

ci-dessus Projet de broche aux feuilles de chêne et gland, Joseph Chaumet, atelier de dessin, vers 1890, encre, lavis de gouache et d'encre sur papier teinté.

en haut Étude de diadème
aux feuilles de chêne, Joseph
Chaumet, atelier de dessin, vers 1910,
crayon graphite, gouache,
lavis et rehauts sur papier teinté.

en bas Diadème aux feuilles
de chêne, Joseph Chaumet,
laboratoire photographique, vers 1890-
1900, positif d'après négatif sur plaque
de verre au gélatino-bromure d'argent.

page de droite Projet de devant
de corsage aux feuilles de chêne,
Joseph Chaumet, atelier de dessin, vers
1890, plume et encre noire, lavis et
rehauts de gouache sur papier teinté.

Projet de diadème aux feuilles de chêne, Joseph Chaumet, atelier de dessin, vers 1900, crayon graphite, plume et encre brune, lavis de gouache et d'encre sur papier teinté.

Ruisselant
de feuille
en feuille,
Un rayon
répercuté,
Parmi les lis
que j'effeuille,
Filtre, glisse,
et se recueille
Dans une île
de clarté.

Alphonse de Lamartine
Cantique sur un rayon de soleil, 1839

page de gauche Projets de devants
de corsage laurier, Joseph Chaumet, atelier
de dessin, vers 1900, crayon graphite, lavis
et rehauts de gouache sur papier teinté.

ci-contre Projet de devant de corsage
à la branche de laurier, Joseph Chaumet,
atelier de dessin, vers 1900, crayon graphite,
plume et encre noire, lavis d'encre,
lavis et rehauts de gouache sur papier teinté.

en haut Étude de diadème aux branches
de laurier, Joseph Chaumet, atelier de dessin,
1900-1910, crayon graphite, gouache
et rehauts de gouache sur papier teinté.

en bas Étude de diadème aux feuilles de chêne,
Joseph Chaumet, atelier de dessin, vers 1890-1900,
crayon graphite, gouache et rehauts
de gouache sur papier teinté.

page de droite, en haut Étude de diadème
aux branches de laurier, Joseph Chaumet, atelier
de dessin, 1890-1900, crayon graphite, gouache
et rehauts de gouache sur papier teinté.

page de droite, en bas Étude de diadème aux typhas
et aux graminées, Joseph Chaumet, atelier de dessin,
vers 1890-1900, crayon graphite, gouache
et rehauts de gouache sur papier teinté.

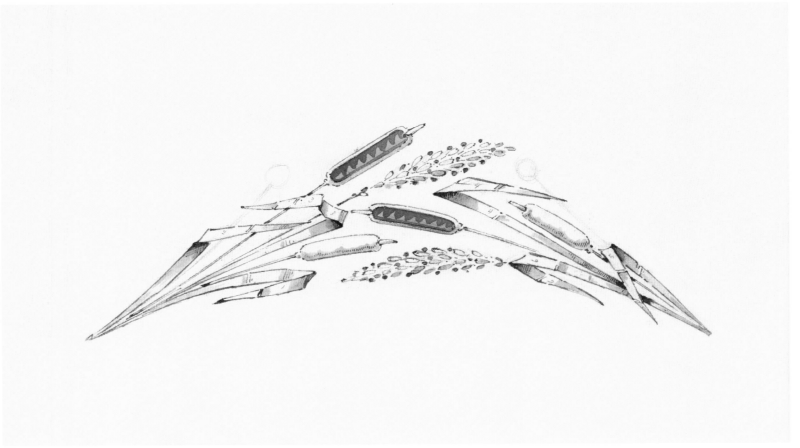

Projet de collier feuilles de laurier, Joseph Chaumet, atelier de dessin, vers 1900,
gouache, lavis et rehauts de gouache sur papier translucide.

Projet de collier trèfle, Joseph Chaumet, atelier de dessin, vers 1900,
gouache, lavis et rehauts de gouache sur papier translucide.

en haut Projet de broche trèfle
à quatre feuilles, Joseph Chaumet, atelier
de dessin, vers 1890, lavis et rehauts
de gouache sur papier translucide.

en bas Projet de broche potentille,
Joseph Chaumet, atelier de dessin,
vers 1890, crayon graphite, lavis de gouache
et d'encre, rehauts de gouache
sur papier translucide.

ci-contre Projet de branche-devant
de corsage typha et libellule, Joseph Chaumet,
atelier de dessin, vers 1880, crayon graphite,
lavis d'encre et rehauts de gouache
sur papier teinté.

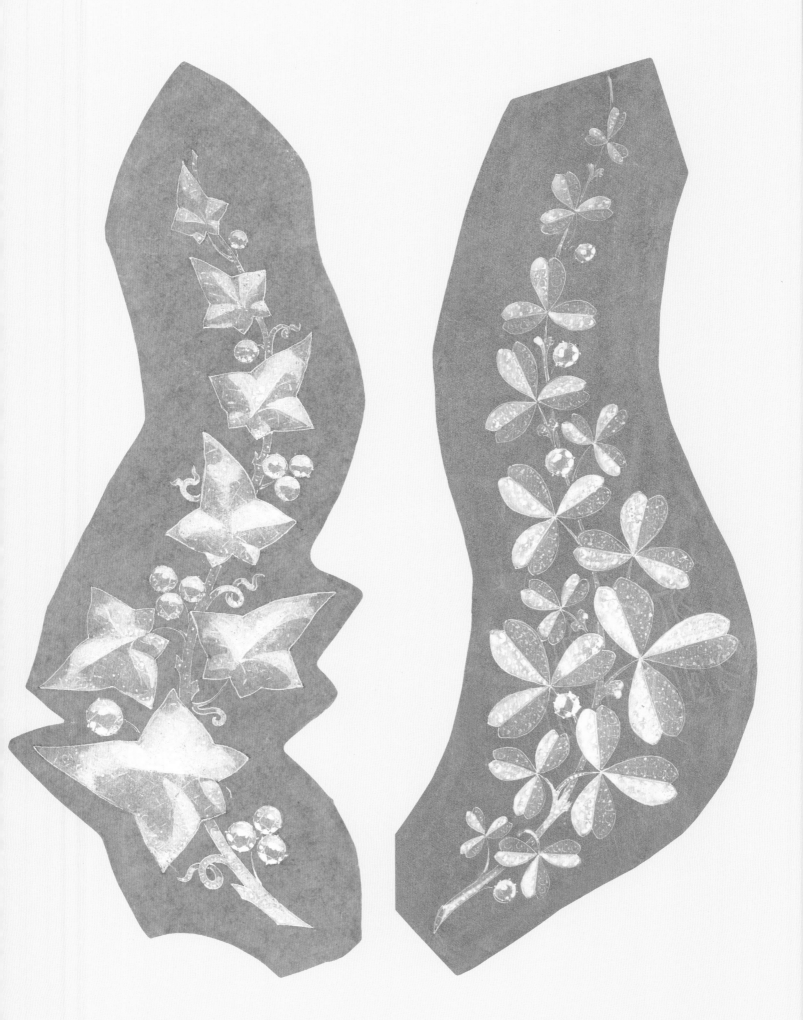

Projet de devant de corsage lierre, Joseph Chaumet,
atelier de dessin, vers 1890, gouache, lavis
et rehauts de gouache sur papier translucide.

Projet de devant de corsage trèfle, Joseph Chaumet,
atelier de dessin, vers 1900, gouache, lavis
et rehauts de gouache sur papier translucide.

Bestiaire

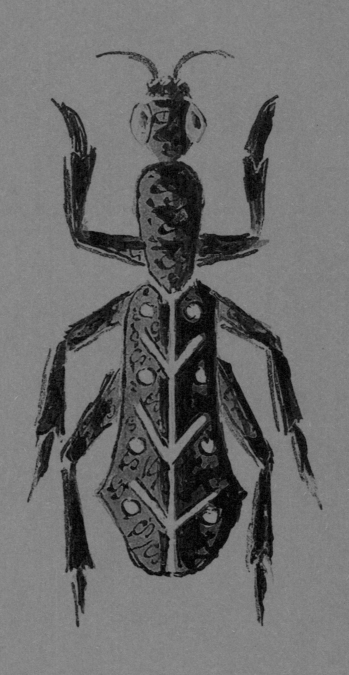

ci-dessus Projet de broche insecte, Joseph Chaumet,
atelier de dessin, vers 1880, crayon graphite, lavis et rehauts
de gouache, pigments dorés sur papier teinté.

page 144 Projet d'aigrette colibri, Joseph Chaumet,
atelier de dessin, vers 1880, crayon graphite, lavis et rehauts
de gouache, pigments dorés sur papier teinté.

Bestiaire

Qu'il soit réel ou fantastique, domestique ou sauvage, aérien ou aquatique, l'animal est l'une des inspirations des arts décoratifs et des bijoux. Si les grandes classifications du règne animal sont mises en place aux XVIIe et XVIIIe siècles, c'est véritablement à partir du XIXe siècle que les motifs animaliers séduisent les joailliers tout autant pour leur plasticité que pour leur symbolique. La Maison Chaumet offre dans ses dessins un bestiaire riche de figures animales variées, parmi lesquelles l'oiseau, le papillon et le serpent sont les plus représentés. Napoléon Ier choisit l'aigle de la Rome antique, ainsi que l'abeille de l'empereur Charlemagne comme emblèmes de son empire naissant tandis que l'impératrice Joséphine remet à l'honneur la colombe, le cygne et le papillon, animaux attributs de Vénus et de l'Amour. Ces animaux érigés au rang de symboles impériaux se retrouvent ainsi dans les commandes luxueuses réalisées par Marie-Étienne Nitot. À partir de la seconde moitié du XIXe siècle, le bestiaire volant constitue un répertoire incontournable pour le dessin de joaillerie. Le développement des voyages permettant de découvrir toutes sortes d'oiseaux exotiques ainsi que les études de Georges Cuvier ou d'Alcide d'Orbigny confortent cet engouement croissant qui se traduit par la mode des « paradis d'oiseaux » ou « buissons d'oiseaux »². À la manière d'un dessinateur animalier, Jules Fossin décline dans un dessein quasi scientifique une série de têtes et de pattes d'oiseaux au naturalisme saisissant témoignant du lien entre art et science. Dès la fin du XIXe siècle, l'exactitude anatomique laisse la place à une esthétique plus novatrice. Dans son aigrette colibri créée en 1880, Joseph Chaumet utilise la plume comme la métaphore absolue de la légèreté du volatile. Il dessine aussi des diadèmes ailés qui connaissent un véritable succès. Très proche de Georges Braque, Pierre Sterlé, joaillier avant-gardiste de la seconde partie du XXe siècle, tente comme son ami peintre de saisir la quintessence de l'oiseau en figurant des volatiles dont les lignes épurées tendent à l'abstraction. Les papillons et les insectes familiers, et autres animaux minuscules semblent aussi destinés au traitement miniature et au raffinement du bijou. Symbole de la métamorphose et de la beauté évanescente, le papillon exprime sous le Premier Empire le sentiment amoureux puis devient l'un des insectes favoris de l'Art nouveau, représenté tantôt associé à la figure féminine tantôt caché dans des feuillages en trompe-l'œil. Dans un registre plus sauvage, le serpent, par sa forme et sa symbolique ancienne, se prête admirablement à l'ornementation des bijoux. Le reptile s'enroule autour des poignets et des décolletés en imposant son ondulation à l'esthétique du bijou dessiné. D'autres bêtes sauvages se retrouvent de manière occasionnelle dans le bestiaire Chaumet au côté des animaux domestiques, principalement dans les années 1960 et 1970 sous forme de clips. La curiosité de Chaumet pour le monde animal semble ainsi infinie et son audace se manifeste particulièrement dans une vision fabuleuse de la nature d'où surgissent à la fois des animaux fantastiques inquiétants, à l'image de ce griffon constitué d'un corps d'aigle greffé sur l'arrière-train d'un lion et muni d'oreilles de cheval, mais aussi d'extravagantes créatures marines comme la pieuvre, l'étoile de mer, ou l'hippocampe.

Bestiaire

page de gauche, en haut Projet de devant de corsage aigle, Joseph Chaumet, atelier de dessin, vers 1890, gouache, lavis et rehauts de gouache sur papier teinté.

page de gauche, en bas Projet de devant de corsage papillon, Joseph Chaumet, atelier de dessin, vers 1890, gouache sur lavis et rehauts de gouache sur papier teinté.

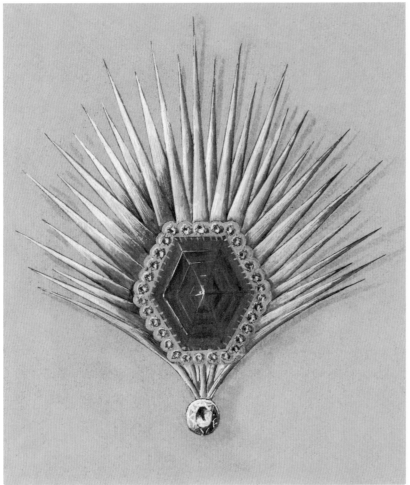

en haut Projet d'aigrette
à plume de paon, Prosper Morel,
atelier de dessin, vers 1870,
crayon graphite, encre
grise, lavis et rehauts de gouache
et d'encre brune sur papier teinté.

en bas Projet d'aigrette
à plume de paon, Prosper Morel,
atelier de dessin, vers 1870,
crayon graphite, encre
grise, lavis et rehauts de gouache
et d'encre, gomme arabique
sur papier teinté.

page de droite Projet de devant
de corsage paon, Joseph Chaumet,
atelier de dessin, vers 1890,
plume et encre noire, lavis
d'encre et de gouache, rehauts
de gouache et de pigment
doré sur papier teinté.

Oiseau qui fait reluire
un écrin sur ta roue,
Et dont le cou de moire
a fixé l'arc-en-ciel !

Alphonse de Lamartine, *Sur une plage*, 1849

Projet de diadème aux plumes de paon, Joseph Chaumet, atelier de dessin,
vers 1915, crayon graphite, gouache, lavis et rehauts sur papier teinté.

ci-dessus Projet d'aigrettes
ailes, Joseph Chaumet, atelier
de dessin, vers 1900, gouache,
lavis et rehauts de gouache
sur papier teinté.

ci-contre Projet d'aigrette
paon, Joseph Chaumet, atelier
de dessin, vers 1900, gouache,
lavis et rehauts de gouache
sur papier teinté.

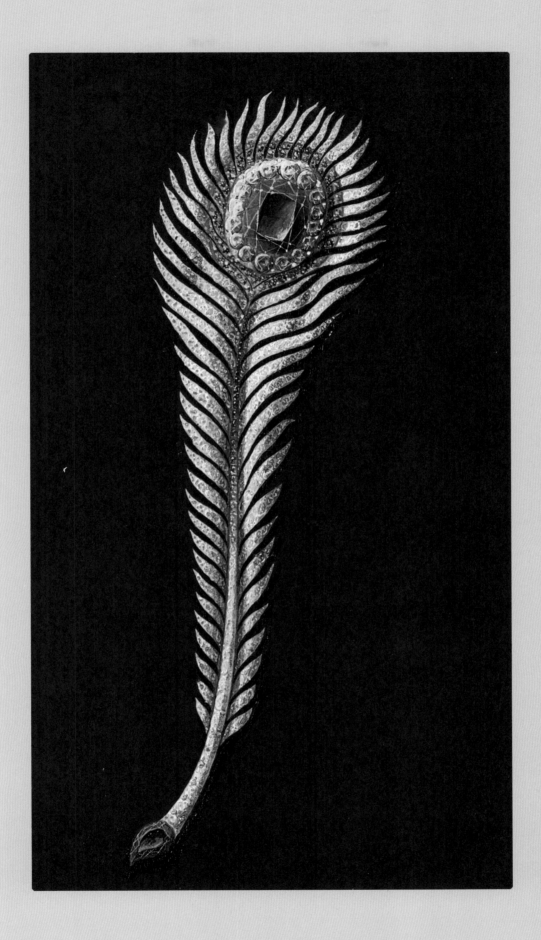

Projet de broche plume de paon, Prosper Morel, atelier de dessin, vers 1870, gouache, lavis et rehauts de gouache, gomme arabique sur papier teinté.

double page précédente Projet de collier aux plumes de paon, Joseph Chaumet,
atelier de dessin, vers 1900-1915, gouache, lavis et rehauts de gouache sur papier teinté.

ci-dessus Projet de diadème aux motifs de plumes, Joseph Chaumet, atelier de dessin, vers 1900-1910, crayon graphite, gouache, lavis sur papier teinté.

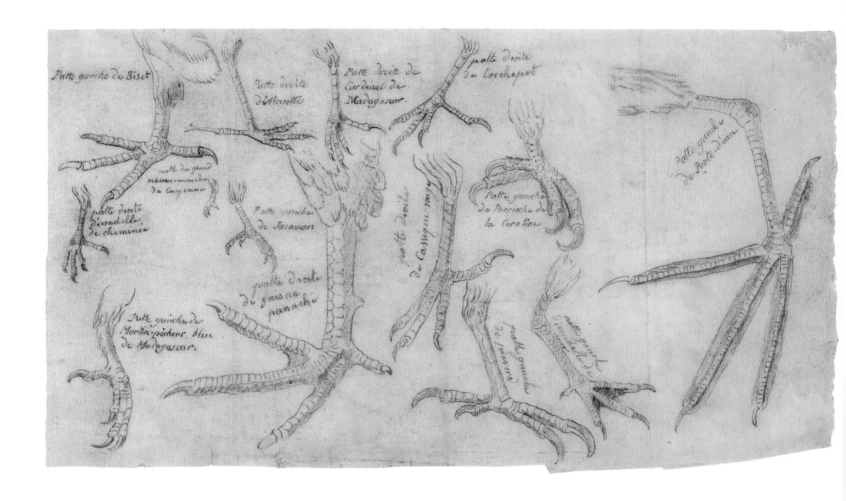

Oiseaux
têtes et pattes

Tel un ornithologue, le dessinateur rend avec soin la multitude de détails des becs, yeux, écailles des pattes, griffes et fins dessins des plumes. Les annotations précisant les noms vernaculaires des espèces ainsi que leur genre ou le type de patte représentée sont les signes d'une véritable maîtrise par le dessinateur des codes de l'ornithologie. Quelle surprise de trouver dans les fonds d'une maison de joaillerie de telles études ! De la sitelle torchepot de nos forêts au martin pêcheur bleu de Madagascar, le choix des espèces d'oiseaux, tempérées et tropicales, communes ou plus rares, est très éclectique. La diversité des espèces et la précision des dessins témoignent très probablement d'une consultation, par les dessinateurs de Chaumet, de collections d'histoire naturelle. Témoignage émouvant de la disparition des espèces, au centre de la planche des dessins de pattes se trouve une patte gauche de perruche de la Caroline. Cette espèce fut exterminée du Sud-Est des États-Unis au début du XXᵉ siècle · MARC JEANSON

ci-dessus Études documentaires de pattes d'oiseaux, Jules Fossin, atelier de dessin, vers 1840, crayon graphite sur papier translucide.

tête
d'écorcheur
mâle

tête
à bec-croisé
mâle

tête
d'hirondelle
de cheminée

tête
d'un étourneau

tête de gobe-mouche
à longue queue de
madagascar

Tête de cardinal
de madagascar

tête
de proyer

tête de
pigeon-bœuf

tête de rossignol
de muraille mâle

Tête de Torchepot.

tête
de bouvreuil
mâle

tête de
tangara vert
du pérou

tête du grand
oiseau-mouche
de Cayenne

Études documentaires de têtes d'oiseaux, Jules Fossin, atelier de dessin,
vers 1840, crayon graphite sur papier translucide.

2572

À ses ailes de feu,
viens, laisse-toi ravir !

Alphonse de Lamartine, *Dieu*, 1830

ci-dessus Aigrette ailes diamants et émail bleu,
Joseph Chaumet, laboratoire photographique, 1905, positif d'après
négatif sur plaque de verre au gélatino-bromure d'argent.

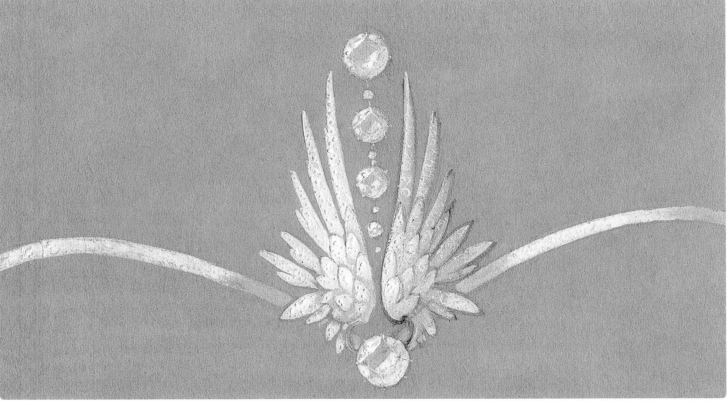

en haut Projet d'aigrette ailes, Joseph Chaumet,
atelier de dessin, vers 1900-1910, crayon graphite, encre
grise, lavis et rehauts de gouache sur papier teinté.

en bas Projet d'aigrette ailes, Joseph Chaumet,
atelier de dessin, vers 1900, crayon graphite, lavis
et rehauts de gouache sur papier teinté.

en haut Projet d'aigrette ailes, Joseph Chaumet,
atelier de dessin, vers 1900, crayon graphite,
lavis et rehauts de gouache sur papier translucide.

en bas Projet d'aigrette ailes, Joseph Chaumet,
atelier de dessin, vers 1900-1910, crayon graphite,
lavis et rehauts de gouache sur papier translucide.

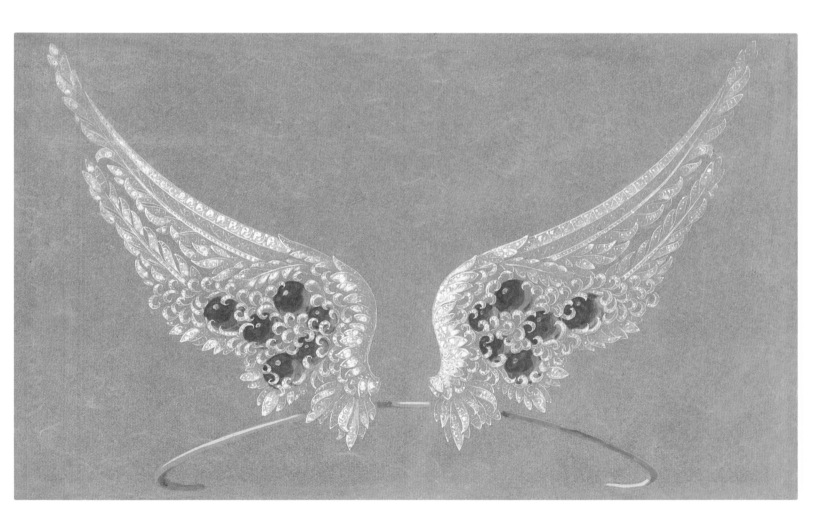

Deux projets d'aigrettes ailes, Joseph Chaumet,
atelier de dessin, vers 1900, crayon graphite, lavis et
rehauts de gouache sur papier translucide.

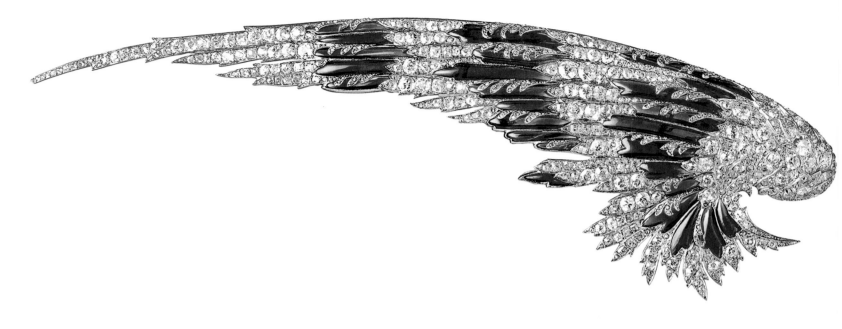

Le ciel s'emplit
alors de millions
d'hirondelles [...]
D'Afrique arrivent
les ibis les flamants
les marabouts [...]
Et d'Amérique vient
le petit colibri [...].

Guillaume Apollinaire, *Zone*, 1913

en haut Diadème ailes de Mrs. Payne Whitney,
née Gertrude Vanderbilt, Joseph Chaumet, 1910, platine, diamants, émail.

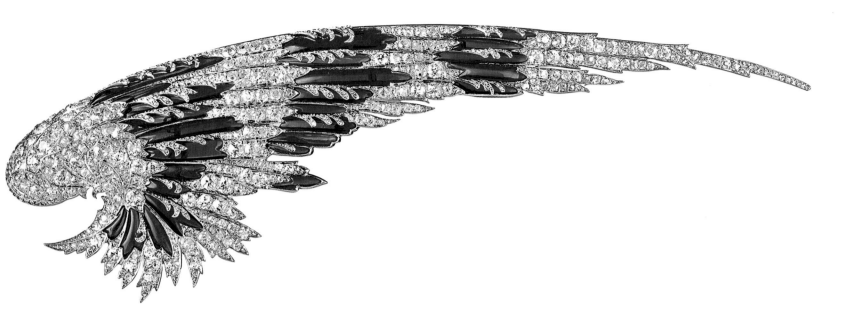

en bas Dessin préparatoire au projet de diadème ailes pour Mrs. Payne Whitney, née Gertrude Vanderbilt,
Joseph Chaumet, atelier de dessin, 1910, crayon graphite, plume et encre grise, lavis de gouache sur papier teinté.

page de gauche, en haut
Projet d'aigrette ailes,
Joseph Chaumet, atelier de dessin,
vers 1900, crayon graphite,
encre grise, gouache, lavis et rehauts
de gouache sur papier teinté.

page de gauche, en bas
Projet de devant de corsage
ailes, Joseph Chaumet,
atelier de dessin, vers 1900,
crayon graphite, lavis et rehauts
de gouache sur papier teinté.

ci-dessus Aigrette ailes,
Joseph Chaumet,
laboratoire photographique,
vers 1890-1900, positif d'après
négatif sur plaque de verre
au gélatino-bromure d'argent.

Ainsi l'aigle superbe au séjour du tonnerre
S'élance ; et, soutenant son vol audacieux,
Semble dire aux mortels : je suis né sur la terre,
Mais je vis dans les cieux.

Alphonse de Lamartine, *La gloire*, 1820

ci-dessus Projet d'aigrette aux ailes et rubans, Joseph Chaumet, atelier de dessin,
vers 1900, gouache, lavis et rehauts de gouache sur papier translucide.

Projet d'aigrette à l'aigle et à la fleur de lys, Joseph Chaumet, atelier de dessin, vers 1890,
gouache, lavis et rehauts de gouache, encre brune sur papier translucide.

1501

page de gauche Deux projets de diadèmes-
aigrettes ailes, Joseph Chaumet, atelier de dessin,
vers 1900, crayon graphite, lavis et rehauts
de gouache sur papier translucide.

ci-dessus Aigrette ailes et feuillage sur fil couteau,
Joseph Chaumet, laboratoire photographique,
vers 1890-1900, positif d'après négatif sur
plaque de verre au gélatino-bromure d'argent.

ci-dessus Projet de diadème,
Joseph Chaumet, atelier de dessin, 1900-1910,
crayon graphite, lavis et rehauts
de gouache sur papier teinté.

page de droite Projet de diadème ailes,
Joseph Chaumet, atelier de dessin, 1900-1910,
crayon graphite, lavis et rehauts
de gouache sur papier teinté.

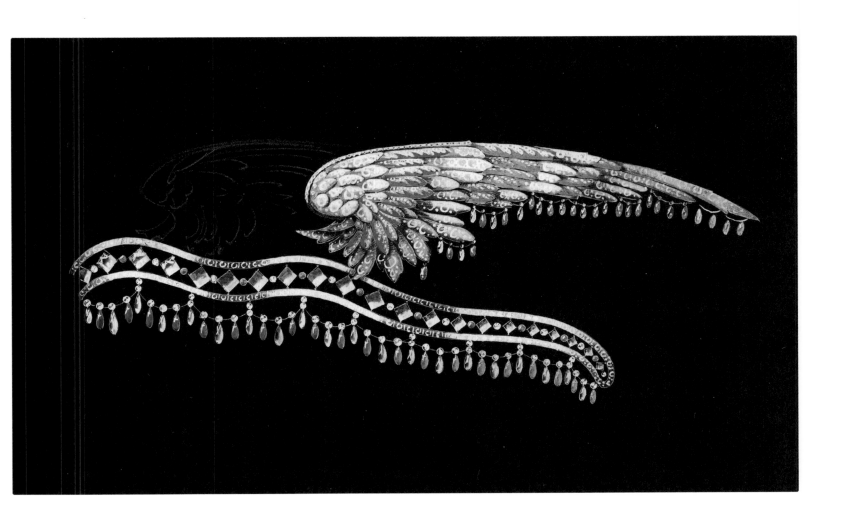

Mais les bijoux perdus de l'antique Palmyre,
Les métaux inconnus, les perles de la mer,
Par votre main montés, ne pourraient pas suffire
À ce beau diadème éblouissant et clair.

Charles Baudelaire, *Bénédiction*, 1857

ci-dessus Projet d'aigrette
aux motifs d'ailes, Joseph Chaumet,
atelier de dessin, 1900-1910,
crayon graphite, lavis
et rehauts de gouache sur
papier translucide.

ci-contre Broche au motif
de lion ailé, Joseph Chaumet, atelier
de dessin, 1900-1910, crayon
graphite, lavis et rehauts de gouache
sur papier translucide.

page de droite Projet de collier
aux ailes et liens, Joseph Chaumet,
atelier de dessin, vers 1900,
crayon graphite, lavis et rehauts
de gouache sur papier translucide.

Trois projets pour le devant de corsage lézards de la princesse Katharina Henckel von Donnersmarck, Joseph Chaumet,
atelier de dessin, 1889, crayon graphite, lavis et rehauts de gouache sur papier translucide.

Projets de bracelets manchettes serpents, Joseph Chaumet,
atelier de dessin, 1880-1890, lavis et rehauts de gouache sur papier teinté.

À te voir marcher en cadence,
Belle d'abandon,
On dirait un serpent qui danse
Au bout d'un bâton.

Charles Baudelaire, *Le serpent qui danse*, 1857

ci-dessus Projet de serre-cou aux serpents et feuillage, Joseph Chaumet,
atelier de dessin, vers 1900, gouache, lavis et rehauts de gouache sur papier teinté.

Projet de diadème aux serpents affrontés, Joseph Chaumet, atelier de dessin, vers 1890-1900,
plume et encre noire, crayon graphite, lavis de gouache sur papier teinté.

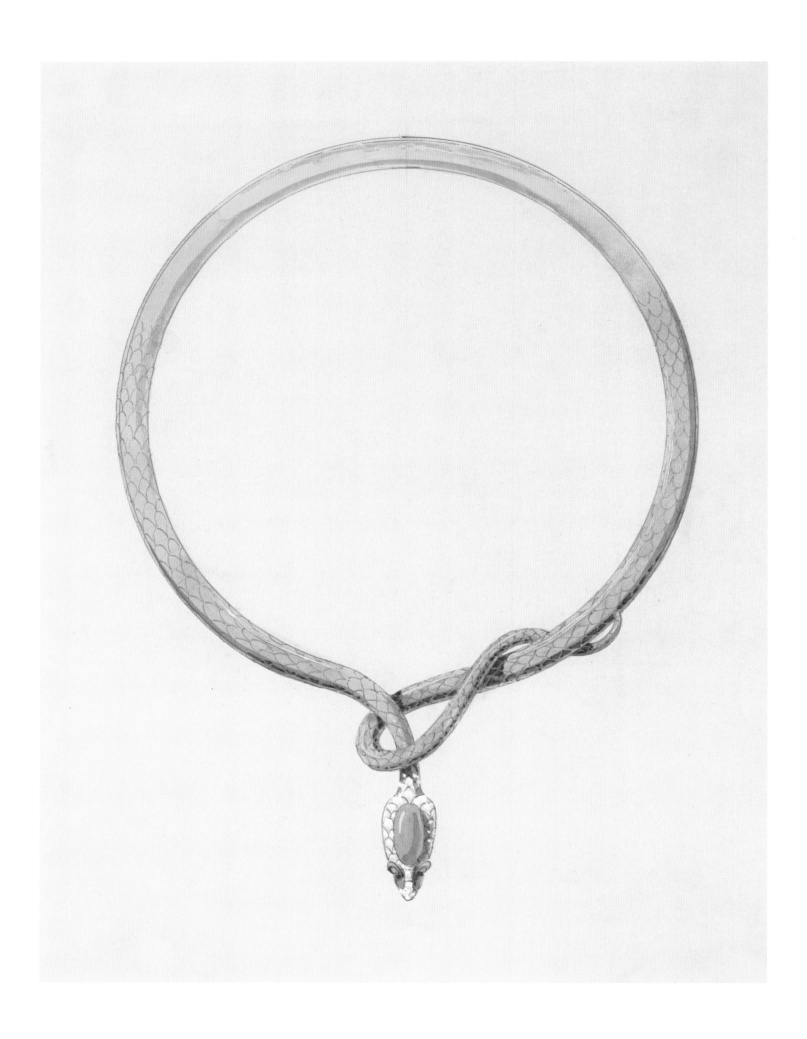

page de gauche Projet de collier serpent
entrelacé, Joseph Chaumet, atelier de dessin,
1880-1890, crayon graphite, lavis et rehauts
de gouache sur papier teinté.

ci-dessus Deux projets de collier serpents
et perle en pendeloque, Joseph Chaumet, atelier
de dessin, vers 1900, crayon graphite, lavis
et rehauts de gouache sur papier teinté.

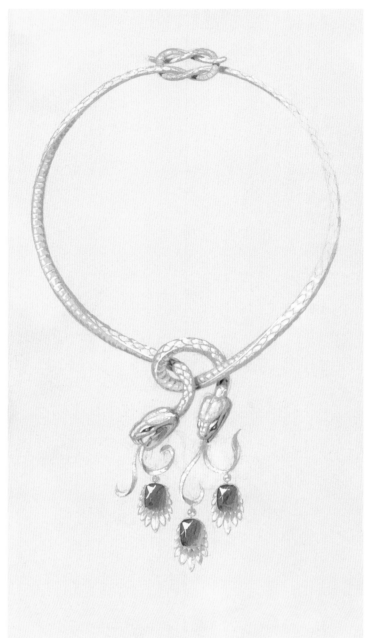

ci-dessus, à gauche Projet de collier aux
serpents entrelacés, Joseph Chaumet, atelier
de dessin, vers 1900, crayon graphite, lavis
et rehauts de gouache sur papier teinté.

ci-dessus, à droite Projet de collier au serpent
entrelacé, Joseph Chaumet, atelier de dessin,
vers 1900, crayon graphite, lavis et rehauts
de gouache sur papier teinté.

page de droite Deux projets de bijoux d'épaule
ophiure, Joseph Chaumet, atelier de dessin,
vers 1900, crayon graphite, plume et encre, lavis
d'encre et d'aquarelle sur papier teinté.

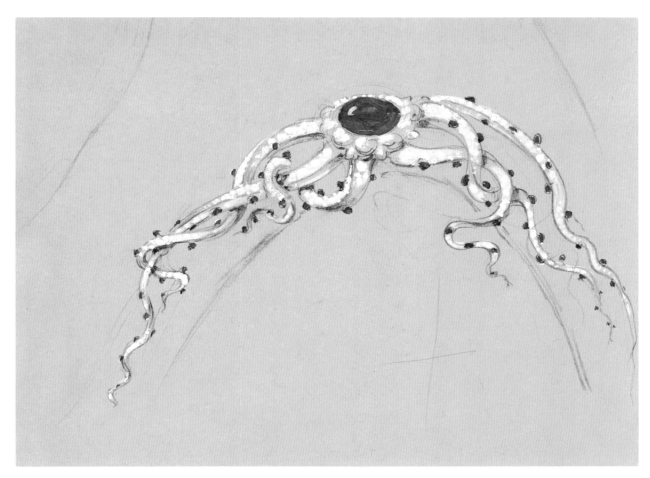

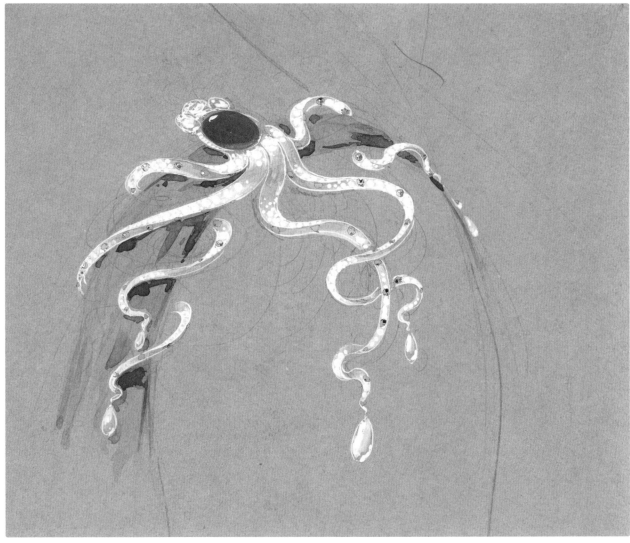

Projet de série de broches perroquet, Joseph Chaumet,
atelier de dessin, vers 1910, crayon graphite, lavis et rehauts de gouache sur papier teinté.

Projet de série de broches grenouille, lézard et tortue, Joseph Chaumet,
atelier de dessin, vers 1910, crayon graphite, lavis et rehauts de gouache sur papier teinté.

en haut Projet de diadème aux ailes
de chauve-souris, Joseph Chaumet, atelier de dessin,
vers 1900-1910, crayon graphite, lavis et rehauts
de gouache sur papier teinté.

en bas Étude de diadème aux ailes
de chauve-souris, Joseph Chaumet, atelier de dessin,
1900-1910, crayon graphite, lavis de gouache
et d'encre sur papier teinté.

Projet d'une pendulette souris grignotant un sucre, René Morin, atelier de dessin, 1978,
gouache, lavis et rehauts de gouache sur papier teinté.

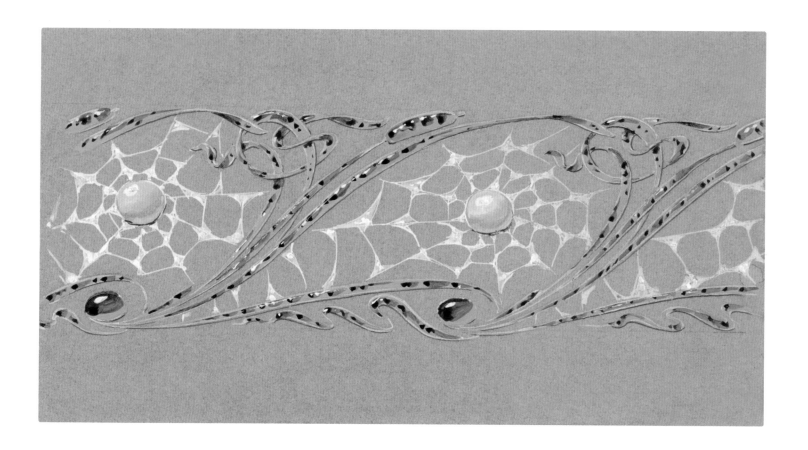

en haut Projet de serre-cou au motif
de toile d'araignée, Joseph Chaumet, atelier de dessin,
vers 1900, gouache, lavis et rehauts de gouache
sur papier teinté.

en bas Projet de devant de corsage aux libellules, araignée
et motif floral, Joseph Chaumet, atelier de dessin, vers
1900-1910, crayon graphite, plume et encre grise, lavis d'encre
et de gouache, rehauts de gouache sur papier teinté.

Projet de broche aux motifs de nœud, plumes de paon, araignée et sa toile, Joseph Chaumet,
atelier de dessin, vers 1900, crayon graphite, lavis et rehauts de gouache sur papier teinté.

Comme un éventail de soie,
Il déploie
Son manteau semé d'argent ;
Et sa robe bigarrée
Est dorée
D'un or verdâtre et changeant.

Gérard de Nerval, *Les papillons*, 1832

ci-dessus Projet d'aigrette papillon stylisé, Joseph Chaumet, atelier de dessin, vers 1910,
crayon graphite, lavis et rehauts de gouache sur papier teinté.

en haut Projet de broche papillon transformable en aigrette,
Joseph Chaumet, atelier de dessin, vers 1890, lavis et rehauts
de gouache et de pigments dorés sur papier translucide.

en bas Projet d'aigrette papillon transformable en broche,
Joseph Chaumet, atelier de dessin, vers 1890, crayon graphite,
lavis et rehauts de gouache sur papier translucide.

ci-dessus Projet d'aigrette aux ailes,
Joseph Chaumet, atelier de dessin,
vers 1900, crayon graphite, lavis et rehauts
de gouache sur papier teinté.

page de droite Projet de broche libellule,
Joseph Chaumet, atelier de dessin,
1900-1910, crayon graphite, lavis et rehauts
de gouache sur papier teinté.

Autour d'eux voltigeaient encore
L'amour, l'illusion, l'espoir,
Comme l'insecte amant de Flore,
Dont les ailes semblent éclore
Aux tardives lueurs du soir.

Alphonse de Lamartine, *Adieux à la poésie*, 1860

en haut Projet de diadème floral aux deux oiseaux
autour d'une fontaine, Joseph Chaumet, atelier
de dessin, 1910-1920, crayon graphite, lavis et rehauts
de gouache sur papier teinté.

en bas Projet de diadème d'inspiration
perse aux deux lions ailés affrontés, Joseph Chaumet,
atelier de dessin, 1910-1920, crayon graphite,
lavis et rehauts de gouache sur papier teinté.

Deux projets de devants de corsage d'inspiration égyptienne, vers 1920,
Marcel Chaumet, atelier de dessin, crayon graphite, gouache et rehauts sur papier teinté.

Col de cygne
qui se penche,
Flexible comme
la branche
Qu'au soir caresse
un vent frais

Théophile Gautier, *Cher ange, vous êtes belle*, 1830

Projet de collier torque tête de cygne et pois de senteur, René Morin, atelier de dessin,
vers 1981, crayon graphite, lavis et rehauts de gouache sur papier calque.

Projet de collier panthère, Béatrice de Plinval, atelier de dessin, vers 1981,
crayon graphite, lavis et rehauts de gouache sur papier calque.

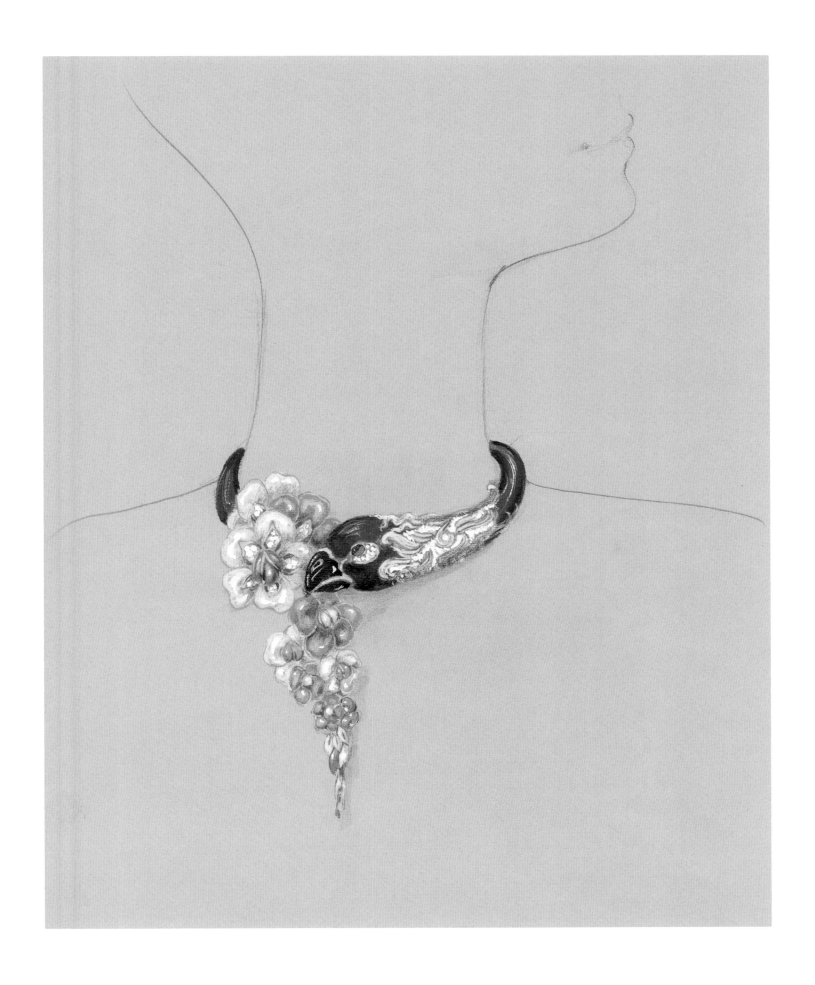

Projet de collier perroquet et hampe florale, René Morin, atelier de dessin, vers 1980,
crayon graphite, lavis et rehauts de gouache sur papier calque.

en haut, à gauche Projet de broche
bélier, Gisèle Crevier, atelier de dessin,
1965-1970, gouache, lavis et
rehauts de gouache sur papier calque.

en haut, à droite Projet de broche
aux deux oiseaux sur une branche,
Gisèle Crevier, atelier de dessin, 1965-1970,
gouache, lavis et rehauts de gouache
sur papier calque.

ci-contre Projet de broche hibou,
Gisèle Crevier, atelier de dessin,
1969, gouache, lavis et rehauts de gouache
sur papier calque.

page de droite Projet de collier paon,
Gisèle Crevier, atelier de dessin,
1965-1970, gouache, lavis et rehauts
de gouache sur papier calque.

ci-dessus Projet d'aigrette colibri, Joseph Chaumet,
atelier de dessin, vers 1880, gouache, lavis et rehauts de gouache,
pigments dorés, gomme arabique sur papier teinté.

page de droite Aigrette colibri,
Joseph Chaumet, vers 1880, or, argent,
rubis et diamants.

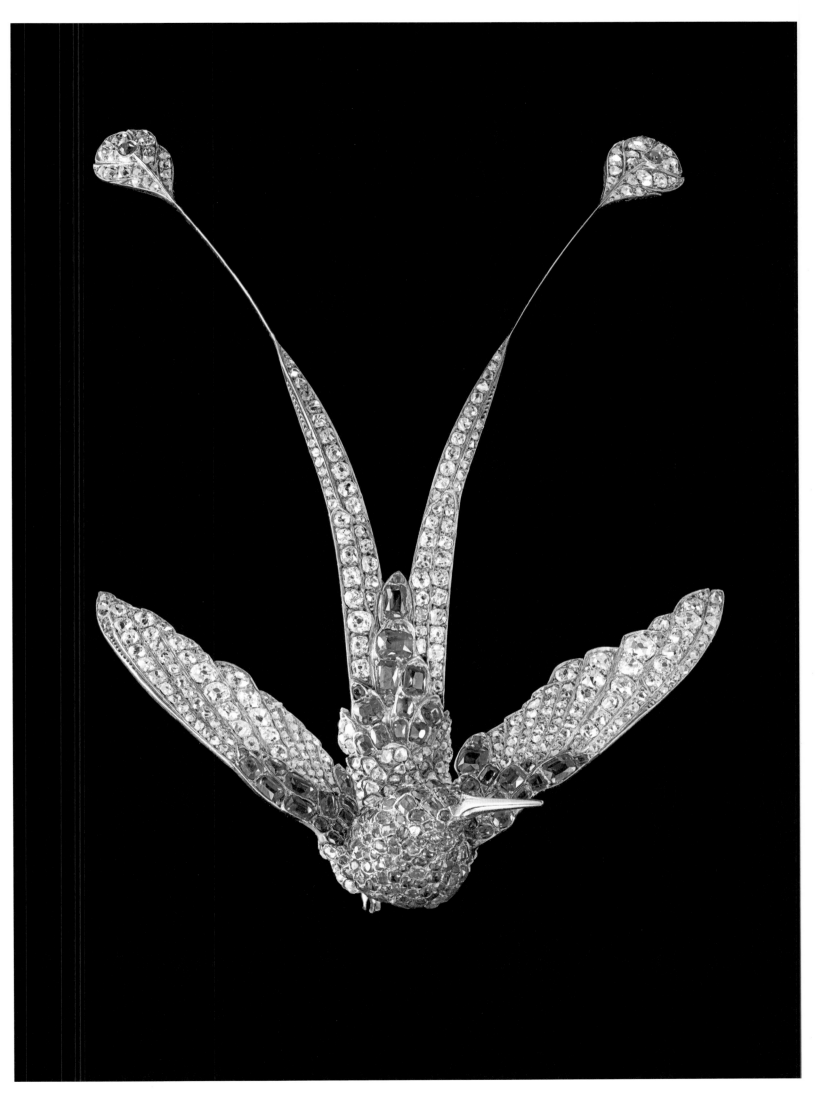

Univers

ci-dessus Projets d'aigrette soleil et de devant de corsage
aux croissants entrelacés, Joseph Chaumet, atelier de dessin, 1900–1915,
crayon graphite, lavis et rehauts de gouache sur papier teinté.

page 206 Projet d'aigrette à l'étoile rayonnante, Joseph Chaumet,
atelier de dessin, vers 1900, gouache, lavis et rehauts de gouache, pigments
dorés, gomme arabique sur papier translucide.

Univers

« Il est doux d'observer l'étoile qui rayonne,
Paillette d'or cousue au dais du firmament[3]. »

En évoquant le ciel étoilé comme un sujet de rêverie, les vers du célèbre poète romantique Théophile Gautier témoignent aussi de la fascination au XIXe siècle pour l'immensité de l'univers et de la passion pour l'origine scientifique des astres. Peu à peu, les esprits du siècle apprivoisent l'idée d'un cosmos illimité qui ne provoquerait plus ni peur ni vertige. Les joailliers de Chaumet s'inscrivent dans le goût de l'époque en puisant leur inspiration dans l'infini des ciels, des nuées et des astres. À partir du Second Empire, de nombreux dessins de devants de corsage, de diadèmes et d'aigrettes représentent ces motifs célestes, principalement des croissants de lune, des soleils et des étoiles, plus rarement des arcs-en-ciel. Cette iconographie s'appuie sur une connaissance croissante des phénomènes atmosphériques et optiques dont la représentation traverse l'histoire de l'art. Motif de prédilection des peintres Pierre-Henri de Valenciennes, J.M.W. Turner et Eugène Boudin, le ciel constitue au XIXe siècle l'un des principaux champs de recherche sur la relation entre matière, lumière et atmosphère. Avec Joseph Chaumet, les soleils dont les rayons partent d'un gros diamant ou d'une pierre de couleur placés au centre du bijou prennent le pas sur les étoiles et les croissants de lune. L'impressionnant diadème soleil commandé par l'aristocrate fortuné William George Cavendish-Bentinck en 1906 met en scène l'astre roi avec une puissance nouvelle donnant l'impression d'un jaillissement lumineux continu. Le dynamisme du dessin, emblématique de l'Art déco, est signe d'une grande modernité. Les motifs de chute et de jet d'eau, de stalactite de glace, de cascade et de vague composent également, dès la Belle Époque, ce répertoire lié au spectacle de la nature. Les dessins de bijoux de tête, aigrettes ou diadèmes « chute d'eau », illustrent la précision d'une technique sans cesse affinée qui accorde un soin tout particulier à l'exécution de montures de plus en plus fines, traduisant un degré de raffinement et de poésie jamais encore atteint. Ces nouveaux thèmes de l'air et de l'eau, formés au regard de l'esthétique du sublime, au tournant du XIXe siècle, inspirent encore aujourd'hui les collections de la Maison. Puisant tout à la fois au lyrisme romantique et à la précision scientifique, cette représentation éblouissante de l'univers dans le dessin de bijou, aux confins du rêve, trouve un écho contemporain dans une nouvelle sensibilité à la nature.

189

Chaque rayon de lune est un rayon de miel

Guillaume Apollinaire, *Clair de lune*, 1913

page de gauche Aigrette au croissant de lune
et étoile, Joseph Chaumet, laboratoire photographique,
vers 1890-1900, positif d'après négatif sur plaque
de verre au gélatino-bromure d'argent.

ci-dessus Projet d'aigrette croissant de lune
et étoiles, Joseph Chaumet, atelier
de dessin, vers 1900-1915, crayon graphite, lavis
et rehauts de gouache sur papier teinté.

ci-dessus Projet d'aigrette
croissants de lune entrelacés,
Joseph Chaumet, atelier
de dessin, vers 1900-1915, gouache,
lavis et rehauts de gouache
sur papier translucide.

ci-contre Projet d'aigrette
croissant de lune ajouré,
Joseph Chaumet, atelier de dessin,
vers 1900-1915, crayon graphite,
lavis et rehauts de gouache
sur papier translucide.

page de droite Deux projets
d'aigrettes croissant de lune,
Joseph Chaumet, atelier
de dessin, vers 1900-1915, crayon
graphite, lavis et rehauts de gouache
sur papier translucide.

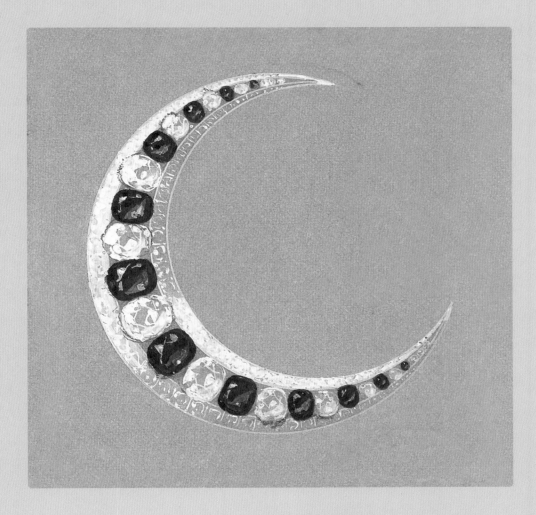

Le ciel est de cuivre
Sans lueur aucune,
On croirait voir vivre
Et mourir la lune.

Paul Verlaine, *Dans l'interminable...*, 1874

ci-dessus Projet d'aigrette croissant de lune, Joseph Chaumet, atelier de dessin, vers 1900-1915, crayon graphite, lavis et rehauts de gouache sur papier teinté.

page de droite, en haut Projet d'aigrette aux trois croissants, Joseph Chaumet, atelier de dessin, 1909, crayon graphite, gouache, lavis et rehauts de gouache sur papier teinté.

page de droite, en bas Projet de devant de corsage croissant de lune, Joseph Chaumet, atelier de dessin, vers 1910-1915, crayon graphite, lavis et rehauts de gouache sur papier teinté.

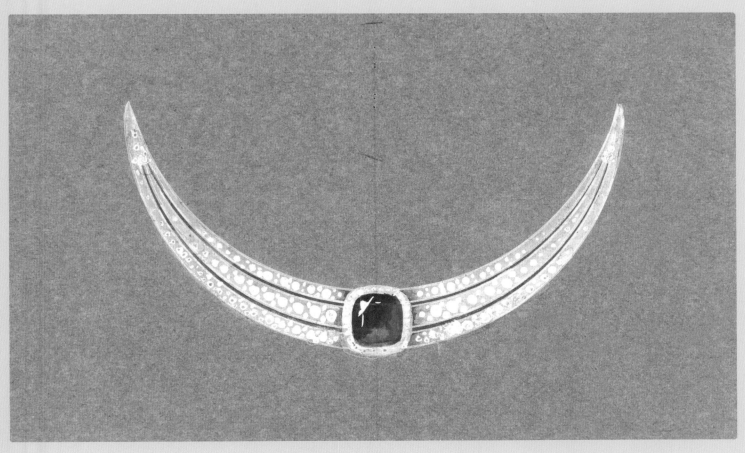

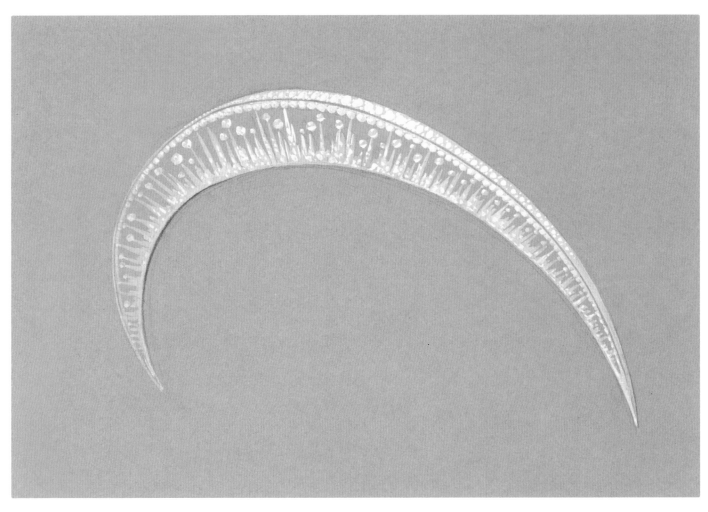

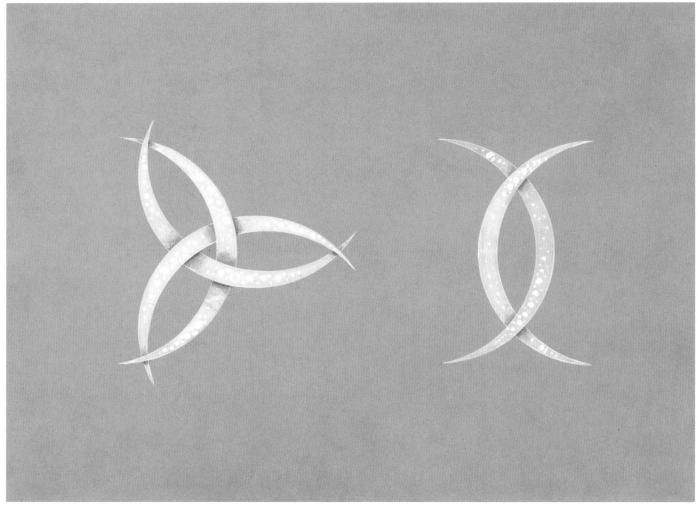

page de gauche, en haut
Projet de diadème stalagmites,
Chaumet, atelier de dessin, vers 1910-1915,
crayon graphite, lavis et rehauts
de gouache sur papier teinté.

page de gauche, en bas Projets
de broches croissants de lune entrelacés,
Joseph Chaumet, atelier de dessin, vers
1900-1915, crayon graphite, lavis et rehauts
de gouache sur papier teinté.

ci-dessus Projet d'aigrette
croissant de lune, Joseph Chaumet,
atelier de dessin, vers 1900-1915,
crayon graphite, lavis et rehauts
de gouache sur papier teinté.

217

La lune est dans le ciel
et le ciel est sans voiles [...]
Elle éclaire de loin
la route des étoiles,
Et leur sillage blanc
dans l'océan d'azur.

Alphonse de Lamartine, *Harmonies poétiques et religieuses*, 1830

page de gauche Projet d'aigrette aux deux croissants
de lune entrelacés, Chaumet, atelier de dessin,
vers 1900-1910, crayon graphite, lavis et rehauts
de gouache sur papier teinté.

ci-dessus Projet de collier transformable aux
croissants de lune entrelacés et étoiles, Chaumet, atelier
de dessin, 1900-1910, crayon graphite, lavis et rehauts
de gouache, gomme arabique sur papier teinté.

J'ai tendu des cordes de clocher à clocher ;
Des guirlandes de fenêtre à fenêtre ;
Des chaînes d'or d'étoile à étoile, et je danse.

Arthur Rimbaud, *Les Illuminations*, 1886

Projet de diadème aux étoiles, Joseph Chaumet, atelier de dessin, vers 1900,
crayon graphite, lavis et rehauts de gouache sur papier teinté.

en haut Diadème aux étoiles, Joseph Chaumet, laboratoire
photographique, 1909, positif d'après négatif sur plaque
de verre au gélatino-bromure d'argent.

en bas Diadème aux étoiles, Joseph Chaumet, laboratoire
photographique, vers 1890-1900, positif d'après négatif
sur plaque de verre au gélatino-bromure d'argent.

Deux projets d'aigrettes étoiles sur fils couteaux, Joseph Chaumet, atelier de dessin,
vers 1900-1915, crayon graphite, lavis et rehauts de gouache sur papier teinté.

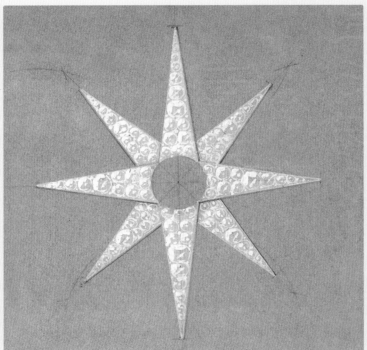

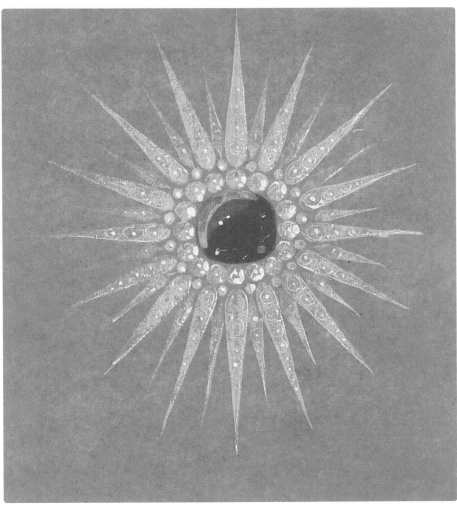

Cinq projets d'aigrettes étoile,
Joseph Chaumet, atelier de dessin,
vers 1900, crayon graphite,
lavis et rehauts de gouache
sur papier translucide.

Mon auberge était à la Grande-Ourse. — Mes étoiles au ciel avaient un doux frou-frou.

Arthur Rimbaud, *Ma bohème*, 1870

Projet de diadème aux étoiles, Joseph Chaumet, atelier de dessin, vers 1900-1915,
gouache, lavis et rehauts de gouache sur papier teinté.

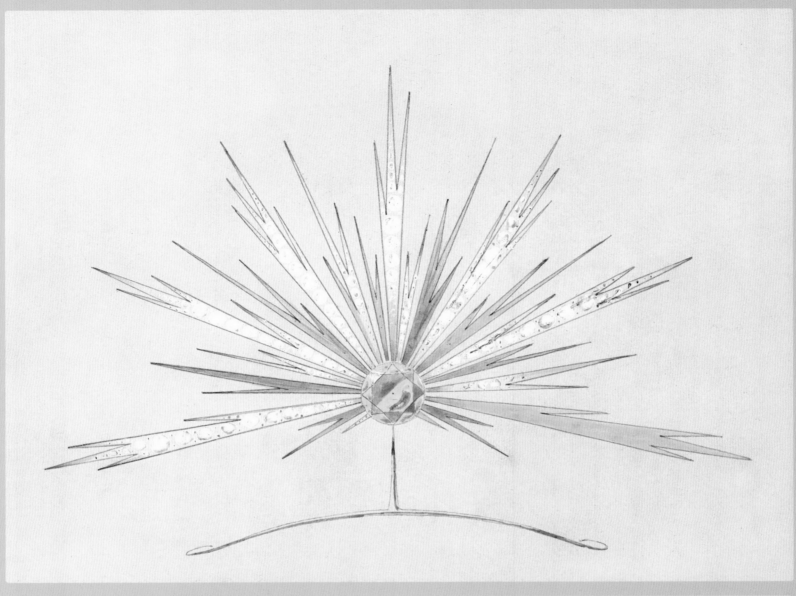

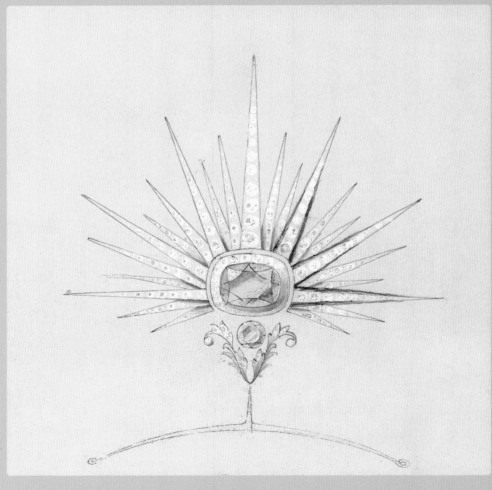

ci-dessus Projet d'aigrette
soleil rayonnant, Joseph Chaumet,
atelier de dessin, vers 1900-1915,
crayon graphite, lavis et rehauts
de gouache sur papier teinté.

ci-contre Projet d'aigrette
soleil rayonnant, Joseph Chaumet,
atelier de dessin, vers 1900,
crayon graphite, lavis et rehauts
de gouache sur papier teinté.

page de droite Projet d'aigrette
soleil rayonnant, Joseph Chaumet,
atelier de dessin, vers 1910,
crayon graphite, lavis et rehauts
de gouache sur papier teinté.

Montrez-nous les écrins
de vos riches mémoires,
Ces bijoux merveilleux,
faits d'astres et d'éthers.

Charles Baudelaire, *Le voyage*, 1857

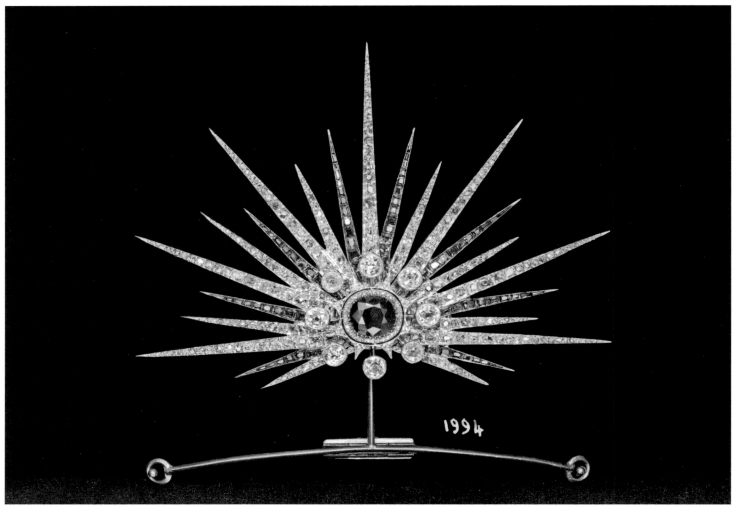

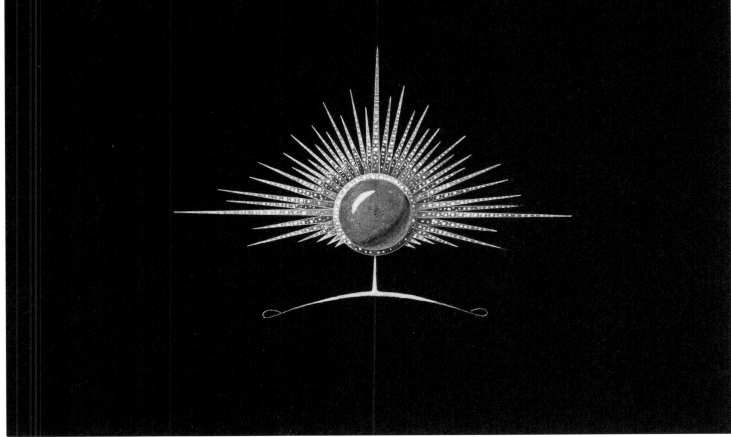

page de gauche, en bas Aigrette soleil, Joseph Chaumet, laboratoire photographique, vers 1890-1900, positif d'après négatif sur plaque de verre au gélatino-bromure d'argent.

page de gauche, en haut, et ci-dessus Projets d'aigrettes soleil rayonnant, Joseph Chaumet, atelier de dessin, vers 1910, crayon graphite, lavis et rehauts de gouache sur papier teinté.

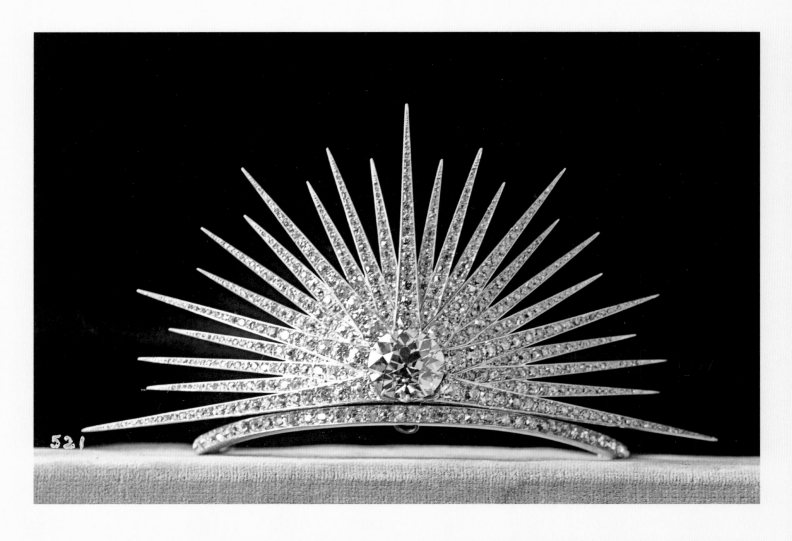

ci-dessus
Grand diadème soleil,
Joseph Chaumet,
laboratoire photographique,
vers 1890-1900, positif
d'après négatif sur plaque
de verre au gélatino-
bromure d'argent.

ci-contre
Projet d'aigrette soleil
rayonnant, Joseph Chaumet,
atelier de dessin,
vers 1900-1915, gouache,
lavis et rehauts de gouache
sur papier translucide.

page de droite
Deux projets de pendentifs
nuages aux perles baroques,
Joseph Chaumet,
atelier de dessin, vers 1900-
1910, gouache, lavis
et rehauts de gouache
sur papier teinté.

Projet d'aigrette aux motifs de flammes, Chaumet, atelier de dessin, vers 1900,
crayon graphite, lavis et rehauts de gouache et d'encre sur papier teinté.

Bel arc-en-ciel,
sors de l'orage !

Victor Hugo, *Il fait froid*, 1856

ci-dessus Projet d'aigrette chute d'eau et arc-en-ciel, Joseph Chaumet, atelier de dessin, vers 1900,
crayon graphite, lavis et rehauts de gouache sur papier teinté.

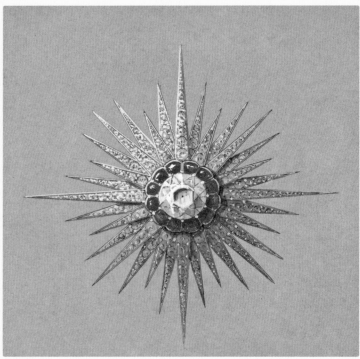

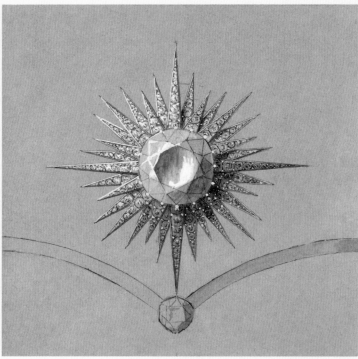

Projets d'aigrettes soleil, Joseph Chaumet, atelier de dessin, vers 1900-1915,
encre, lavis et rehauts de gouache, gomme arabique sur papier teinté.

Quand nous en irons-nous
où sont l'aube et la foudre ?

Victor Hugo, *Claire*, 1856

en haut Étude d'aigrette soleil et gloires,
Joseph Chaumet, atelier de dessin, vers 1900, crayon graphite,
lavis et rehauts de gouache et d'encre sur papier teinté.

en bas Étude de diadème aux éclairs,
Joseph Chaumet, atelier de dessin, vers 1900, crayon graphite,
lavis et rehauts de gouache sur papier translucide.

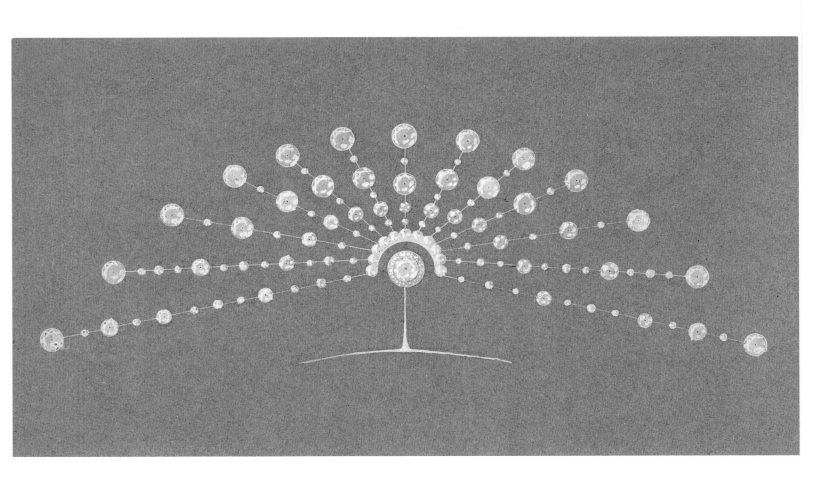

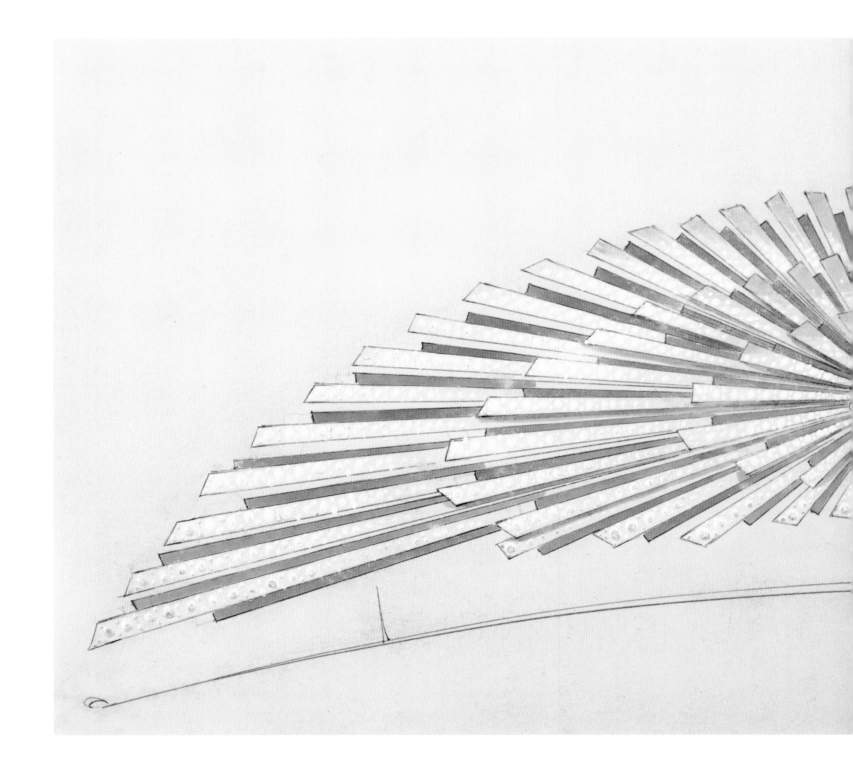

Roulez dans vos sentiers de flamme, Astres, rois de l'immensité !

Alphonse de Lamartine, *Éternité de la nature, brièveté de l'homme*, 1830

Étude de diadème triple soleil, Joseph Chaumet, atelier de dessin, vers 1910,
crayon graphite, encre grise, lavis et rehauts de gouache et d'encre sur papier teinté.

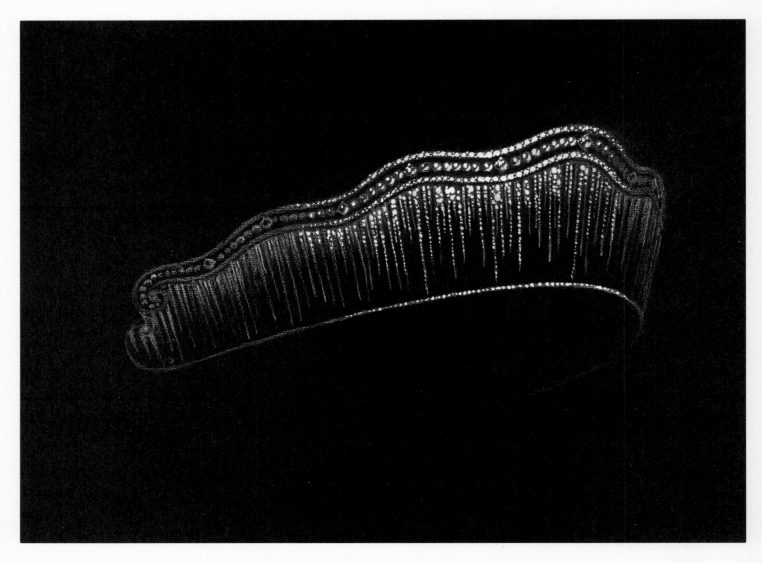

page de gauche, en haut Projet de diadème aux étoiles filantes, Joseph Chaumet, atelier de dessin, vers 1900, crayon graphite, lavis et rehauts de gouache, craie sur papier teinté.

page de gauche, en bas Projet de diadème stalactites, Joseph Chaumet, atelier de dessin, vers 1890-1900, crayon graphite, lavis et rehauts de gouache sur papier teinté.

ci-dessus Diadème stalactites, Joseph Chaumet, laboratoire photographique, 1904, positif d'après négatif sur plaque de verre au gélatino-bromure d'argent.

Le temps efface tout comme
effacent les vagues
Les travaux des enfants
sur le sable aplani
Nous oublierons ces mots
si précis et si vagues
Derrière qui chacun
nous sentions l'infini.

Marcel Proust, *Je contemple souvent le ciel de ma mémoire*

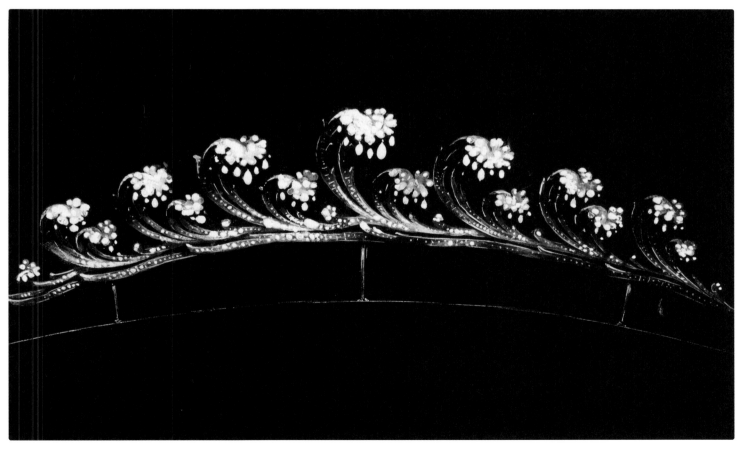

page de gauche Étude de diadème aux vagues, Édouard Wibaille, atelier de dessin, 1889-1908, crayon graphite, lavis et rehauts de gouache sur papier teinté.

en haut Projet de diadème aux volutes, Chaumet, atelier de dessin, vers 1950, crayon graphite, lavis et rehauts de gouache sur papier calque.

en bas Projet de diadème vagues, Joseph Chaumet, atelier de dessin, vers 1900, crayon graphite, lavis et rehauts de gouache sur papier teinté.

Projet de devant de corsage coquillage, Joseph Chaumet, atelier de dessin,
1913, crayon graphite, gouache, lavis sur papier teinté.

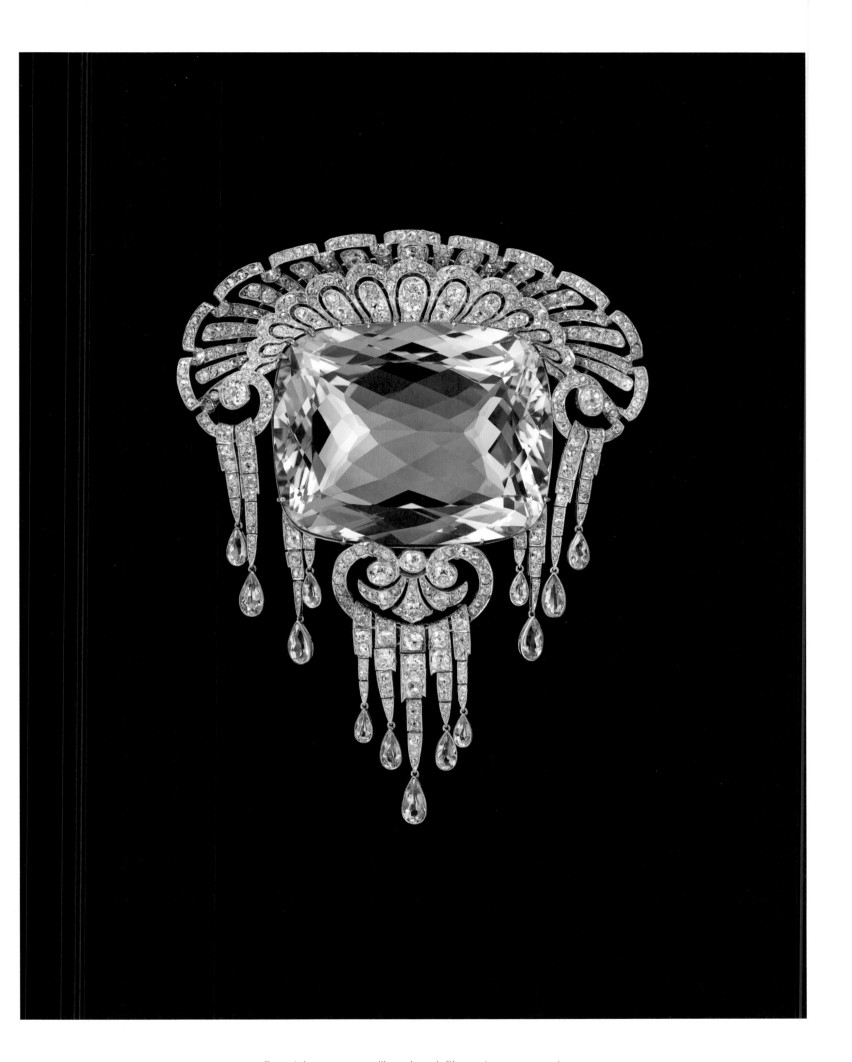

Devant de corsage coquillage, Joseph Chaumet, 1913, or, argent,
diamants, aigue-marine. Collection privée.

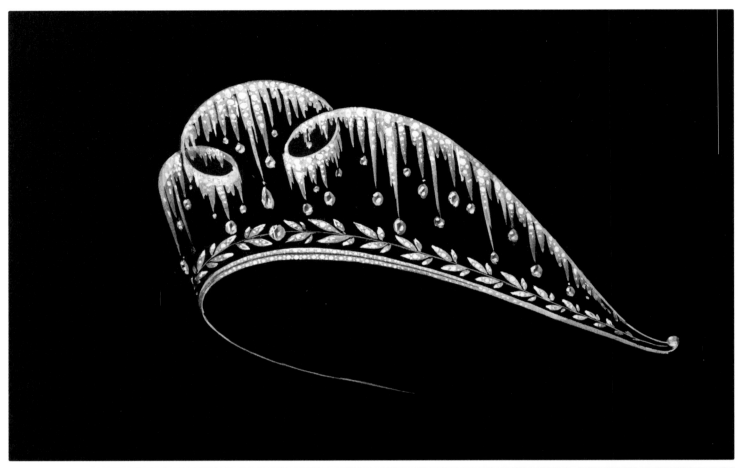

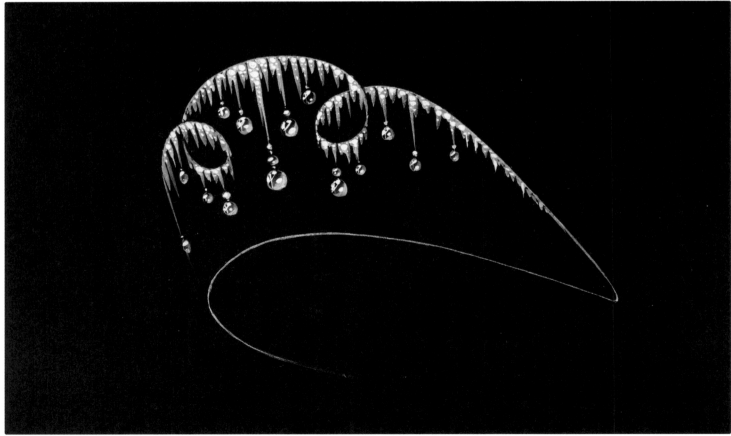

en haut Projet de diadème stalactites et bandeau floral,
Joseph Chaumet, atelier de dessin, vers 1890-1900,
crayon graphite, lavis et rehauts de gouache sur papier teinté.

en bas Projet de diadème stalactites et gouttelettes,
Joseph Chaumet, atelier de dessin, vers 1890-1900, crayon
graphite, lavis et rehauts de gouache sur papier teinté.

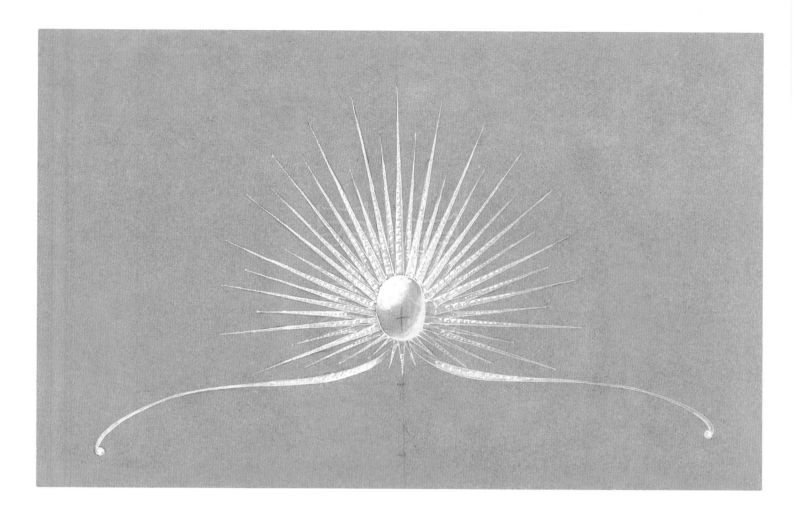

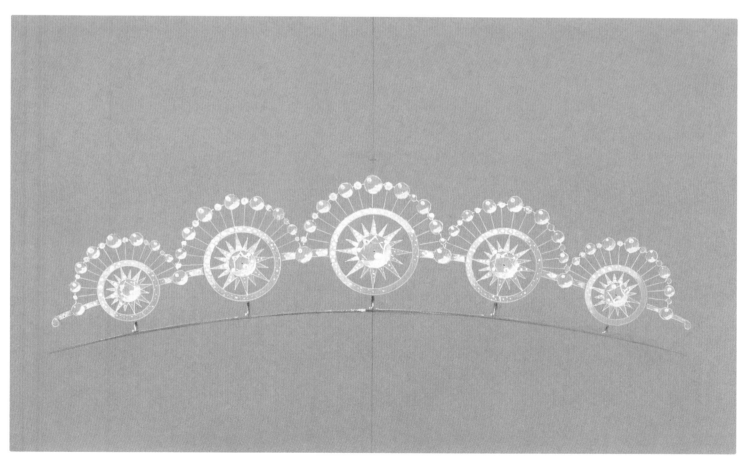

en haut Projet d'aigrette soleil levant,
Joseph Chaumet, atelier de dessin, entre 1890 et 1900,
lavis et rehauts de gouache sur papier translucide.

en bas Projet de diadème aux soleils rayonnants,
Joseph Chaumet, atelier de dessin, vers 1890-1900, crayon
graphite, lavis et rehauts de gouache sur papier teinté.

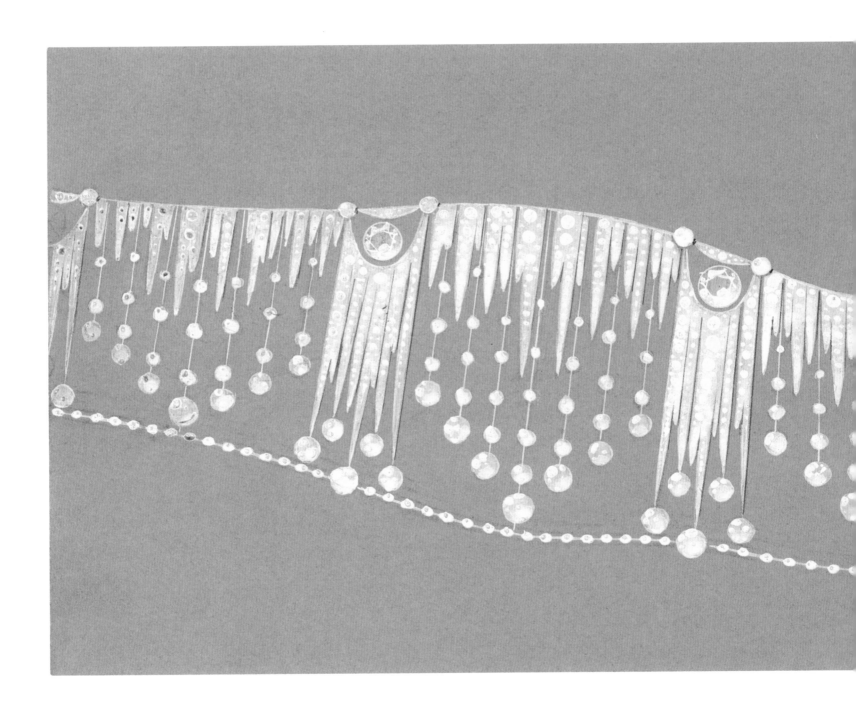

À travers le ciel sonore,
Tandis que, du haut des nuits,
Pleuvent, poussière d'aurore,
Les astres épanouis

Victor Hugo, *Les étoiles filantes*, 1865

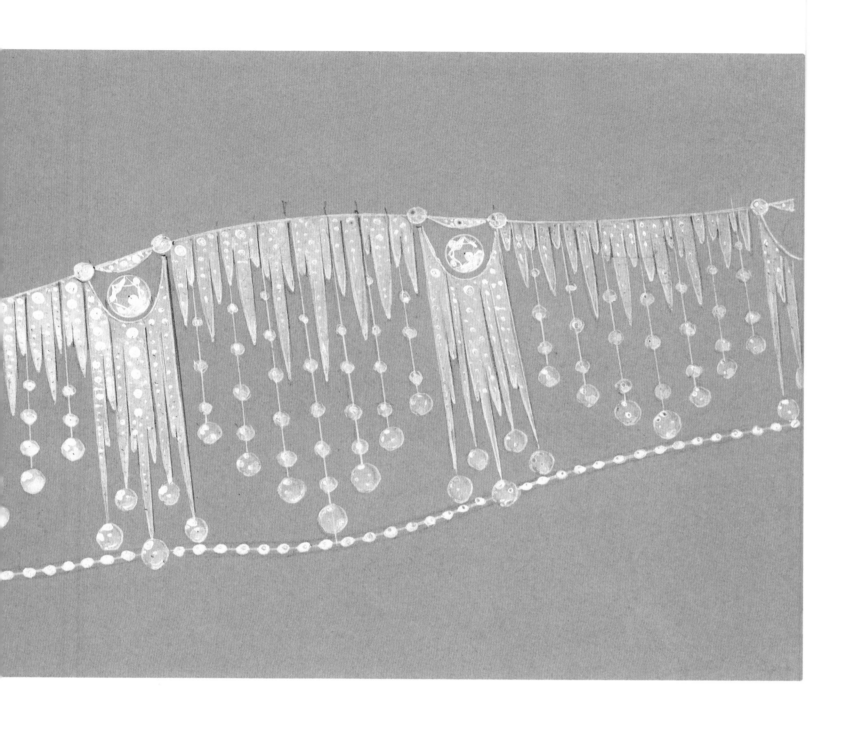

Serre-cou stalactites, Joseph Chaumet, atelier de dessin, vers 1890-1900,
crayon graphite, lavis et rehauts de gouache sur papier teinté.

NOTES

L'art du dessin de joaillerie

1 Pablo Picasso, *Propos sur l'art*, Paris, Gallimard, coll. « Art et artistes », 1998.

2 De nombreux métiers sont convoqués au service de la réalisation du bijou : modeleur, repousseur, reperceur, ciseleur, graveur, guillocheur, émailleur, laqueur, doreur, argenteur, lapidaire, diamantaire, sertisseur, polisseur…

3 Augustin Duflos, *Recueil de Desseins de Joaillerie, fait par Augustin Duflos, M.d Joaillier à Paris. Et gravé par Claude Duflos. Dédié A Monseigneur le Comte de S.t Florentin*. Ministre et Secrétaire d'Etat. Prix 18.1, se vend à Paris, chez Claude Duflos, rue Galande, chez un Chapelier, et chez l'auteur, [v. 1767].

4 Michaël Decrossas, « Le dessin joaillier » dans Bénédicte Gady (dir.), *Le dessin sans réserve : collection du musée des Arts décoratifs*, cat. exp., Paris, MAD, 2020, p. 224.

5 Gustave Babin, *Une pléiade de maîtres-joailliers 1780-1930*, Paris, Impr. Frazier-Soye, 1930, p. 136.

6 Jérôme Neutres, *L'Art du trait*, Paris, Assouline, 2019, p. 5 et 9.

7 Guillaume Glorieux, *Les arts joailliers. Métiers d'excellence*, Paris, Gallimard / L'École des Arts joailliers, 2019, p. 12.

8 Michaël Decrossas, « Le dessin joaillier » dans Bénédicte Gady (dir.), *Le dessin sans réserve : collection du musée des Arts décoratifs*, p. 224.

9 Henri Delaborde, *Ingres, sa vie, ses travaux, sa doctrine. D'après les notes manuscrites et les lettres du maître*, Paris, Henri Plon, 1870, p. 123.

10 Le maillechort est un alliage de cuivre, de nickel et de zinc qui connaît un développement remarquable en France chez les artisans du métal durant la première moitié du xixᵉ siècle. Employé par Joseph Chaumet pour perfectionner le processus créatif de son atelier, il est apprécié pour sa ductilité, sa solidité, son inaltérabilité et son éclat proche de l'argent lorsqu'il est poli. La collection des maquettes en maillechort de Chaumet comporte un peu plus de 700 modèles de diadèmes, grandeur nature ainsi que des modèles de colliers, devants de corsage et broches.

11 Gustave Babin, *Une pléiade de maîtres-joailliers 1780-1930*, p. 97-98.

12 Gustave Babin, *Une pléiade de maîtres-joailliers 1780-1930*, p. 119-120.

13 Ulrich Leben, *L'École royale gratuite de dessin de Paris (1767-1815)*, Saint-Rémy-en-l'Eau, Monelle Hayot, 2004, p. 98.

14 Gustave Babin, *Une pléiade de maîtres-joailliers 1780-1930*, p. 60.

15 Convention de Wibaille de 1903, dossier sanglé nº 41, Paris, archives Chaumet.

16 *Rapport adressé à Monsieur Chaumet, au sujet des différentes phases traversées par la joaillerie, bijouterie & orfèvrerie depuis quelques années et du parti qu'il y aurait lieu d'en tirer*, dossier sanglé nº 122, Paris, archives Chaumet.

17 Récompenses Exposition 1900, dossier sanglé nº 12, Paris, archives Chaumet.

18 Organisation de la Maison, « Service des dessinateurs », p. 53, Paris, archives Chaumet.

19 Gustave Babin, *Une pléiade de maîtres-joailliers 1780-1930*, p. 119.

20 Fabienne Reybaud, *La nature de Chaumet*, Paris, Chaumet / Assouline, 2016, p. 19.

21 Alvar Gonzáles-Palacios, « Préface » dans Marie-Christine Autin Graz, *Le Bijou dans la peinture*, Paris, Skira / Seuil, 1999, p. 10.

22 Henri Loyrette, « Ce monde rayonnant de métal et de pierres » dans Henri Loyrette (dir.), *Chaumet. Joaillier parisien depuis 1780*, Paris, Flammarion, 2017, p. 27.

La nature dessinée

1 Alba Cappellieri (dir.), *Van Cleef & Arpels : Temps, Nature, Amour*, cat. exp., Paris, Skira, 2019, p. 192.

2 Fabienne Reybaud, *La nature de Chaumet*, Paris, Chaumet / Assouline, 2016, p. 20.

3 La tradition séculaire des surtouts de table aristocratiques évoque la chasse comme une activité chère aux convives tout en rappelant le gibier qui leur était servi.

4 Alvar Gonzáles-Palacios, « Préface » dans Marie-Christine Autin Graz, *Le Bijou dans la peinture*, Paris, Skira / Seuil, 1999, p. 12.

5 Lettre d'Aimé Bonpland, intendant du domaine de Malmaison, à Alyre Raffeneau-Delile, 7 mars 1814 dans : E.T. Hamy, *Aimé Bonpland, médecin et naturaliste, explorateur de l'Amérique du Sud. Sa vie, son œuvre, sa correspondance*, Paris, Guilmoto, s. d. [1906].

6 Fabienne Reybaud, *La nature de Chaumet*, p. 5.

7 Diana Scarisbrick, « L'histoire des bijoux dans la peinture (1450-1900) » dans Marie-Christine Autin Graz, *Le Bijou dans la peinture*, Paris, Skira / Seuil, 1999, p. 43.

8 Francis Wey, « Du naturalisme dans l'art, de son principe et de ses conséquences (à propos d'un article de M. Delécluze) », *La Lumière*, 1ʳᵉ année, nº 8, 30 mars 1851, p. 31.

9 Gustave Babin, *Une pléiade de maîtres-joailliers 1780-1930*, Paris, Impr. Frazier-Soye, 1930, p. 63.

10 Les albums conservés chez Chaumet portent maintes traces d'acquisitions des Tuileries, du « Château » notamment des séries de monogrammes L.P. surmontés de la couronne, destinés à des bagues, des cadres, des tabatières, des souvenirs divers.

11 Gustave Babin, *Une pléiade de maîtres-joailliers 1780-1930*, p. 60.

12 Ce bijou de tête à la mode dans les années 1840 est appelé Mancini, du nom de Marie Mancini, premier amour de Louis XIV, qui arborait une coiffure d'anglaises rebondissantes.

13 Gustave Babin, *Une pléiade de maîtres-joailliers 1780-1930*, p. 77.

14 Diana Scarisbrick, *Chaumet. Joaillier depuis 1780*, Paris, Alain de Gourcuff éditeur, 1995, p. 145-146.

15 Marie-Christine Autin Graz, *Le Bijou dans la peinture*, p. 78.

16 Gustave Babin, *Une pléiade de maîtres-joailliers 1780-1930*, p. 83.

17 Joseph Chaumet dédie un salon des perles au 12, place Vendôme.

18 Diana Scarisbrick, *Chaumet. Joaillier depuis 1780*, Paris, Alain de Gourcuff éditeur, 1995.

19 Gustave Babin, *Une pléiade de maîtres-joailliers 1780-1930*, p. 102-109.

20 Laurence Mouillefarine, Évelyne Possémé, *Bijoux Art déco et avant-garde*, Paris, Norma éditions, 2009, p. 10.

21 *Ibidem*.

22 Édouard Monod-Herzen, *Principes de morphologie générale*, Paris, Gauthier-Villars, 1927, 2 vol.

23 Ils ne sont que huit professionnels à participer à l'événement : Lacloche, Boucheron, Chaumet, Dusausoy, Mauboussin, Ostertag et Van Cleef and Arpels.

24 Le clip désigne un système d'attache qui permet de fixer un bijou sur un vêtement, grâce à un ressort. L'invention du clip engendre le développement des bijoux à transformation. Ces « bijoux d'après-midi qui ont un petit air de printemps », comme s'enthousiasme la presse de l'époque, présentent l'avantage de s'accrocher partout, aux oreilles, sur le revers d'un tailleur ou sur le devant d'un sac.

25 Fabienne Reybaud, *La nature de Chaumet*, p. 16.

26 *Chaumet en majesté. Joyaux de souveraines depuis 1780*, cat. exp, Paris, Flammarion, 2019, p. 18.

27 Diana Scarisbrick, *Chaumet. Joaillier depuis 1780*, p. 304.

28 Catalogue d'exposition, *Dess(e)in de nature*, Paris, Chaumet, 2019, p. 54.

Fleurs, Bestiaire, Arbres et Plantes, Univers

1 Joséphine Le Foll, *La Peinture de fleurs*, Paris, Hazan, 1997, p. 110.

2 Les paradis d'oiseaux ou buissons d'oiseaux désignent un dispositif visuel associant un regroupement d'oiseaux naturalisés, disposés sur un arbre miniature, le tout présenté sous un globe, au croisement de la science et de l'esthétique.

3 Théophile Gautier, « Imitation de Byron », dans *Poésies complètes*, Paris, George Charpentier, 1889-1890.

BIBLIOGRAPHIE

AUTIN GRAZ Marie-Christine. *Le Bijou dans la peinture.* Paris, Skira / Seuil, 1999.

BABIN Gustave. *Une pléiade de maîtres-joailliers 1780-1930.* Paris, Imprimerie Frazier-Soye, 1930.

Boucheron, Joaillier libre depuis 1858. Paris, Éditions de La Martinière, 2018.

BOURGOING Catherine (de). *Herbier de Joséphine.* Paris, Flammarion, 2019.

DÉCIMO Jean-Michel. *Le Goût du dessin.* Mercure de France, 2020.

GLORIEUX Guillaume. *Le bijou dessiné.* Paris, Norma éditions, 2021.

GLORIEUX Guillaume. *Les arts joailliers, Métiers d'excellence.* Paris, Gallimard / L'École des Arts joailliers, 2019.

GLORIEUX Guillaume (dir.). *Paradis d'oiseaux.* Paris, Muséum national d'histoire naturelle / MAD / L'École des Arts joailliers, 2019.

LE FOLL Joséphine. *La Peinture de fleurs.* Paris, Hazan, 1997.

LOYRETTE Henri (dir.). *Chaumet, Joaillier parisien depuis 1780.* Paris, Flammarion, 2017.

MAURIÉS Patrick, POSSÉMÉ Évelyne. *Faune, Galerie des bijoux.* Paris, musée des Arts décoratifs, 2017.

MAURIÉS Patrick, POSSÉMÉ Évelyne. *Flore, Galerie des bijoux,* Paris, musée des Arts décoratifs, 2016.

MOUILLEFARINE Laurence, POSSÉMÉ Évelyne. *Bijoux Art Déco et avant-garde.* Paris, Norma éditions, 2009.

NEUTRES Jérôme. *L'Art du trait.* Paris, Assouline, 2019.

POSSÉMÉ Évelyne. *Arts et techniques, bijouterie joaillerie.* Paris, Massin éditeur, 1995.

REYBAUD Fabienne. *La nature de Chaumet.* Paris, Chaumet / Éditions Assouline, 2016.

SCARISBRICK Diana. *Bijoux de tête, Chaumet de 1804 à nos jours.* Paris, Assouline, 2002.

SCARISBRICK Diana. *Chaumet, Joaillier depuis 1780.* Paris, Alain de Gourcuff éditeur, 1995.

SCHNEIDER Norbert. *Les Natures mortes.* Cologne, Taschen, 2003.

SNOWMAN Abraham Kenneth. *Fabergé : trésors retrouvés, La récente découverte des carnets d'atelier conservés aux Archives de Saint-Pétersbourg.* Paris, Éditions du collectionneur, 1993.

VEVER Henri. *La Bijouterie française au XIXe siècle (1800-1900).* Paris, H. Floury, 1906-1908, 3 vol.

EXPOSITIONS

« Flower Power », Lille, musée de l'Hospice Comtesse, Palais des beaux-arts, Palais Rameau, Esplanade Euralille, aéroport de Lille-Lesquin, 6 décembre 2003 – février 2004. Catalogue collectif, Dijon, Les Presses du réel, 2003.

« Van Cleef & Arpels – Temps, Nature, Amour », Milan, Palazzo Reale, 30 novembre 2019 –23 février 2020. Catalogue sous la direction d'Alba Cappellieri, Paris, Skira, 2019.

« Chaumet en majesté – Joyaux de souveraines depuis 1780 », Monaco, Grimaldi Forum, 12 juillet – 29 août 2019. Catalogue collectif, Paris, Flammarion, 2019.

« Divines joailleries – L'art de Joseph Chaumet (1852-1928) », Paray-le-Monial, musée du Hiéron, 14 juin 2014 – janvier 2015. Catalogue par Dominique Dendrael, Diana Scarisbrick et Pierre-Yves Chatagnier, ville de Paray-le-Monial, 2014.

« Brillantes écritures », Paris, Maison Chaumet, 22 février – 1er avril 2019. Catalogue, Paris, Chaumet, 2019.

« Dess(e)in de nature », Paris, Maison Chaumet, 26 juillet – 7 septembre 2019. Catalogue par Marc Jeanson, Paris, Chaumet, 2019.

« Lacloche joailliers, 1892-1967 », Paris, L'École des Arts joailliers, 23 octobre – 20 décembre 2019. Catalogue sous la direction de Guillaume Glorieux, Paris, L'École des Arts joailliers, 2019.

« Le dessin sans réserve – Collection du musée des Arts décoratifs », Paris, musée des Arts décoratifs, 26 mars – 19 juillet 2020. Catalogue sous la direction de Bénédicte Gady, Paris, MAD, 2020.

« Chaumet et Paris – Deux siècles de création », Paris, musée Carnavalet, 25 mars – 28 juin 1998. Catalogue sous la direction de Roselyne Hurel et Diana Scarisbrick, Paris, Paris musées, 1998.

« Le pouvoir des fleurs – Pierre-Joseph Redouté, 1759-1840 », Paris, musée de la Vie romantique, 25 avril – 1er octobre 2017. Catalogue sous la direction de Catherine de Bourgoing, Sophie Éloy et Jérôme Farigoule, Paris, Paris musées, 2017.

« Bijoux romantiques, 1820-1850 – La parure à l'époque de George Sand », Paris, musée de la Vie romantique, 3 mai – 1er octobre 2000. Catalogue collectif, Paris, Paris musées, 2000.

« Delacroix, Othoniel, Creten – Des fleurs en hiver », Paris, musée national Eugène-Delacroix, 12 décembre 2012 – 18 mars 2013. Catalogue sous la direction de Christophe Leribault, Paris, Louvre éditions / Le Passage, 2012.

« Les gouachés – Un art unique et ignoré », Roubaix, La Piscine–musée d'Art et d'Industrie André-Diligent, 3 février – 1er avril 2018. Catalogue par Sylvie Bottela-Gaudichon et Évelyne Possémé, 2018.

« Joséphine – La passion des fleurs et des oiseaux », Rueil-Malmaison, musée national des châteaux de Malmaison et Bois-Préau, 2 avril – 30 juin 2014. Catalogue collectif, Paris, Artlys, 2014.

BIOGRAPHIES DES AUTEURS

GAËLLE RIO

Conservatrice en chef du patrimoine et directrice du musée de la Vie romantique à Paris, Gaëlle Rio est docteure en histoire de l'art de Sorbonne Université. Spécialiste de l'art du XIXe siècle, elle fut auparavant conservatrice au cabinet des arts graphiques du Petit Palais. Commissaire de nombreuses expositions, elle enseigne à l'École du Louvre et à l'Institut national du patrimoine.

MARC JEANSON

Marc Jeanson est botaniste, docteur en systématique et taxonomie végétale et spécialiste des palmiers. Après cinq années au New York Botanical Garden, il fut durant six ans responsable de l'Herbier national au Muséum national d'Histoire naturelle de Paris. Il est aujourd'hui directeur botanique au Jardin Majorelle de Marrakech, et a signé le commissariat de plusieurs expositions telles que « Jardins » au Grand Palais et « Végétal » pour la Maison Chaumet.

REMERCIEMENTS

La Maison Chaumet remercie ses amis Gaëlle Rio
et Marc Jeanson, sans qui ce livre n'aurait pu voir
le jour. Elle remercie également ses collaborateurs
qui accompagnent fidèlement la Maison depuis plus
de 240 ans. Cet ouvrage naturaliste est le témoignage
du respect porté à tous ceux qui construisent sa
renommée avec passion.

Les éditions Thames & Hudson remercient tout
particulièrement Jean-Marc Mansvelt, ainsi que Béatrice
de Plinval, Claire Gannet, Michael Lepage, Thibault Billoir,
Raphaël Mingam, Isabelle Vilgrain, Hélène Yvert et
Apolline Descombes, dont l'aide précieuse a permis
à ce livre de voir le jour.

Gaëlle Rio tient à remercier Jean-Marc Mansvelt,
Guillaume Corbel, Béatrice de Plinval, Claire Gannet,
Michaël Lepage, Ehssan Moazen, Sylvie Philippon,
Françoise Roche, Adélia Sabatini, Benoît Verhulle,
Isabelle Vilgrain et Hélène Yvert.

Chaumet, Paris :

Directeur de la publication
Jean-Marc Mansvelt

Directrice contenus et publications
Isabelle Vilgrain

Chef de projet contenus
Hélène Yvert

Assistante chef de projet contenus
Apolline Descombes

Thames & Hudson Ltd, Londres :

Responsable de publication
Adélia Sabatini

Éditrice et responsable de projet
Flora Spiegel

Responsable de fabrication
Susanna Ingram

Éditrice
Sylvie Philippon

Direction artistique :

Pierre Péronnet & Wijntje van Rooijen

en couverture Projet de collier aux motifs de blé
et de fleurs, atelier de dessin, vers 1890, Joseph Chaumet
© Chaumet, Paris

L'édition originale de cet ouvrage a paru en 2023
au Royaume-Uni sous le titre *Chaumet Drawing
from Nature* chez Thames & Hudson Ltd, Londres.

Chaumet : Dessins de Nature
© 2023 Thames & Hudson Ltd, Londres
Essais et introductions des chapitres © 2023 Gaëlle Rio
Textes botaniques © 2023 Marc Jeanson

Tous les dessins et bijoux proviennent
de la collection Chaumet, Paris
Toutes les photographies historiques
proviennent des archives Chaumet, Paris

Graphisme : Pierre Péronnet & Wijntje van Rooijen

Les pièces de joaillerie représentées aux pages 40, 58, 63,
89 et 118 étant en cours de réalisation, des modifications
d'ordre esthétique pourront intervenir entre les dessins et
les pièces finies.

Cet ouvrage a été reproduit et achevé d'imprimer en
avril 2023 par l'imprimerie Artron Art (Group) Co, Ltd
pour Thames & Hudson Ltd.

Dépôt legal : 2ᵉ trimestre 2023

ISBN 978-0-500-02614-4

Imprimé en Chine

Les pages intérieures sont imprimées sur papier
certifié FSC ; la couverture est imprimée sur papier
Japan Green Aid.

Un saphir
à ton cou
a des feux
aussi doux
que ton regard
tranquille.

Marcel Proust, *Les Plaisirs et les Jours,*
Portraits de peintres et de musiciens, 1896